Alain
Janvier 1990

Du même auteur :

Robert Altman, Edilig, 1981.

Le Cinéma américain, 1895-1980 : de Griffith à Cimino, PUF, 1983.

James Dean, Veyrier, 1983.

Douglas Sirk, Edilig, 1984.

Le Mélodrame hollywoodien, Stock, 1985.

Hollywood, années 30 : du Krach à Pearl Harbor, 5 Continents / Hatier, 1986.

Lubitsch, ou la satire romanesque (en collaboration avec Eithne Bourget), Stock, 1987.

Crédits photographiques :
Cinémathèque française et Cinéstar

Recherches iconographiques :
Benoîte Mourot

ISBN : 2-86930-317-3
ISSN : 0298-0088

5-7, rue Paul-Louis Courier - 75007 Paris
10, rue Fortia - 13001 Marseille

JOHN FORD

PAR JEAN-LOUP BOURGET

COLLECTION DIRIGEE
PAR FRANCIS BORDAT

RIVAGES

L'auteur tient à remercier Francis Bordat, Antoine Ertlé, Tag Gallagher, Michel Marie, Alain Masson, Hubert Niogret, Sylvie Pliskin et Daniel Royot, qui lui ont apporté leur aide amicale.
Le chapitre 8, « L'expressionnisme », a d'abord paru dans un dossier de *Positif* (n° 331, septembre 1988) consacré au « Décor » et réuni par Jean-Pierre Berthomé.

SOMMAIRE

INTRODUCTION

Faut-il se justifier d'écrire un « John Ford » ? Le metteur en scène n'a-t-il pas, de longue date, accédé au Panthéon des cinéastes, ainsi qu'en témoigne l'abondance de la bibliographie qui lui est consacrée ? Un doute pourtant s'insinue. Tardivement reconnu aux Etats-Unis comme un « auteur » à part entière, Ford serait-il victime d'une relative désaffection dans notre pays, naguère pionnier dans le domaine des études sur le cinéma américain, mais aussi coutumier de phénomènes de mode et de mode à rebours ? L'estime où l'on tenait Ford, il y a vingt ans, coïncidait avec l'engouement pour le western. Une assimilation simpliste (« Je m'appelle John Ford. Je fais des westerns ») semble s'être muée en un préjugé d'autant plus tenace qu'il est peut-être inconscient. Feuilleter *L'Officiel des spectacles* ou les programmes de la télévision suffit à prouver qu'à la vogue du western a succédé celle du film criminel. Face aux riches ambiguïtés du film noir, Ford n'offrirait que des images d'Epinal, hautes en couleurs, mais schématiques, manichéennes, d'ailleurs marquées au sceau du nationalisme, du conservatisme et du militarisme. Une conversation avec des cinéphiles aussi éclairés qu'Henri et Geneviève Agel révèle les réserves que suscite Ford, chantre de la Servitude et grandeur de l'U.S. Cavalry. Faut-il, à l'instar de Richard Slotkin, lire la fameuse « Trilogie » (*Fort Apache - La Charge héroïque - Rio Grande*) à la lumière de la Guerre froide ? Défendre ce John Ford « réactionnaire » en invoquant le John Ford « progressiste » des *Raisins de la colère* ne fera pas davantage l'unanimité. *Les Raisins de la colère*, mais aussi *Qu'elle était verte ma vallée*, *Le Mouchard*, *Dieu est mort*, autant de « classiques » qui souffrent de cette réputation même, avec ce qu'elle est susceptible de comporter de solennel et d'ennuyeux. Selon certains, Ford pèche ici par volonté de prestige, par un esthétisme hypertrophié ; il « trahit » Steinbeck (air connu des exégètes de l'« adaptation »), il « trahit » Graham Greene — variante de l'air précédent, interprétée par l'écrivain en personne, qui déplore le « catholicisme irlandais » de Ford. Après les images d'Epinal, les images pieuses. Mais le symbolisme religieux rebute les laïques et met les autres mal à l'aise.

On devine l'ambition (modeste) de ce petit livre : s'attacher à dissiper quelques idées reçues (et parfois répandues) sur John Ford, en s'efforçant d'introduire à son œuvre. A l'œuvre *telle qu'elle est accessible*, c'est-à-dire avec ses dimensions d'ores et déjà impressionnantes, sa richesse, sa diversité, ses ambiguïtés, ses contradictions et ses constantes. Non pas à l'œuvre dans sa totalité, tâche doublement impossible : d'abord parce qu'il faudrait, comme Tag Gallagher, pouvoir lui consacrer près de six cents pages serrées ; ensuite parce que, contrairement à celle d'un Lubitsch par exemple, l'œuvre muette constitue aujourd'hui un ensemble *inconnu à plus de quatre-vingts pour cent*. Qu'il suffise en l'occurrence de deux indications. Les témoignages, à commencer par celui de Ford lui-même, concordent : les films muets sont, comme chez Lubitsch précisément, la matrice de l'œuvre entière. La grande majorité sont des westerns, dont un bon nombre ont pour vedette Harry Carey, prototype du Ringo Kid (John Wayne) dans la *Chevauchée fantastique*, père de Harry Carey, Jr., que Ford dirigera à maintes reprises à partir du *Fils du désert*, dédié à la mémoire de son père. De vingt-cinq westerns dans lesquels Ford et Carey firent équipe, seuls subsistent *Le Ranch Diavolo* (*Straight Shooting*) et *Du sang dans la prairie* (*Hell Bent*), retrouvé à Prague en 1988 et aussitôt montré aux Journées de Pordenone. Le film donne le sentiment que Ford fut d'emblée en possession de tous ses moyens. Il s'ouvre — trente ans avant *La Charge héroïque* — sur un tableau de Remington qui s'anime. « Good badman » plein d'humour et de tendresse, « Cheyenne Harry » Carey manipule avec aisance cigarettes, carabine ou cartes à jouer ; certains de ses gestes seront repris « textuellement » par le John Wayne de *La Prisonnière du désert*. Du bonheur constant de la composition visuelle (resserrement du cadre à l'aide d'éléments du décor naturel aussi bien que de caches, sable du désert sur lequel se dessine l'ombre d'une file de cavaliers...) se dégage une impression complexe de liberté et de contrainte, ou, pour mieux dire, de maîtrise si assurée qu'elle n'a pas à se montrer. La traversée du désert par les antagonistes, la tempête de sable préfigurent tant les westerns de Monte Hellman que *Les Rapaces* de Stroheim.

D'autre part, comme Lubitsch encore, John Ford commença sa carrière en tant qu'acteur, sous la direction de son frère Francis, qui à son tour jouerait pour lui, beaucoup plus tard, de nombreux et pittoresques petits rôles : chacun des douze films que « Jack Ford » interpréta pour Francis est aujourd'hui perdu.

C'est dire qu'on a visé ici moins le document inédit que la présentation, qu'on espère synthétique, de quelques thèmes et figures de style qui paraissent propres à John Ford, ou plus exactement qu'il a particulièrement faits siens. Insistons sur le style : la synthèse d'un grand, d'un immense artiste ne saurait se réduire à une grille structuraliste, son auteur eût-il le talent de Peter Wollen. Lindsay Anderson a formulé, sur les constructions intellectuelles, brillantes et fragiles, de *Signs and Meaning in the Cinema*, les réserves qui s'imposent. Si l'œuvre de Ford suscite en nous une vaste gamme d'émotions, si tour à tour elle nous exalte, nous attendrit, nous fait rire ou pleurer, c'est bien sûr que, loin d'être schématique, elle s'incarne non seulement dans des personnages, mais dans une *langue cinématographique* dont l'accent est unique. Entendons bien : une « langue » au sens métaphorique, dont les éléments constitutifs sont l'image et son cadre, le geste de l'acteur, le jeu de l'ombre et de la lumière, le rythme du montage, l'élan que lui imprime la musique. Une langue belle, riche, poétique, qui serait un peu au cinéma hollywoodien classique — si l'on me permet d'anticiper brièvement sur ma conclusion — ce que la langue de Shakespeare est à l'anglais élisabéthain.

1. LA GLOIRE DES VAINCUS

La Dernière Fanfare, Les Sacrifiés, L'Aigle vole au soleil

Peter Bogdanovich a isolé chez Ford un thème récurrent, celui de la « gloire dans la défaite ». Il en fit la remarque au metteur en scène qui, à son habitude, répondit en ayant recours à l'équivocation, admettant tout à la fois que la chose était possible, mais inconsciente ; qu'en effet, il détestait le sentimentalisme des fins heureuses ; mais prenant soin d'ajouter que pour sa part, chaque fois qu'il avait fait la guerre, il avait gagné et non perdu. La réaction est éclairante ; elle montre que, si le thème de la défaite obsède incontestablement Ford comme il fascine Faulkner, ce n'est pas selon le même mode. Certes, le titre du romancier sudiste, *L'Invaincu*, pourrait s'appliquer avec bonheur à certains personnages de Ford, qui refusent, contre toute évidence, de s'avouer vaincus : Marie Stuart, à la veille de monter sur l'échafaud, nargue sa stérile cousine Elisabeth ; à peine battu dans sa campagne municipale, le Skeffington de *La Dernière Fanfare* désarçonne ses adversaires en annonçant son intention d'être candidat au poste de gouverneur. Mais Ford n'est guère sensible au romantisme sudiste, ni sous sa forme traditionnelle (à la Margaret Mitchell), ni sous la forme « moderne », gothique et freudienne, que lui a donnée Faulkner. Ford n'est pas fasciné par la décadence et, dans *Les Cavaliers*, lorsqu'il montre des cadets sudistes désireux de jouer aux héros, il les met en déroute en les rendant, en dernière analyse, ridicules bien plus que pathétiques. Ses personnages ne cultivent pas le romantisme de l'échec. Ils font même tout pour gagner ; s'ils perdent, c'est pour des raisons objectives (où leur responsabilité peut, naturellement, être engagée : c'est le cas de Marie Stuart), parce que le rapport de forces leur est défavorable. Le pathétique naît des efforts que fait le héros pour modifier ce rapport en sa faveur.

Loin d'y voir rien d'« héroïque », Ford condamne sans appel la présomption suicidaire du colonel Thursday, dont l'ambition carriériste conduit son régiment au « massacre de Fort

Apache » ; la gloire posthume du colonel, immortalisée par le tableau qui dépeint sa « charge héroïque », est un faux d'une ironie cinglante, que Ford dénonce comme tel sans la moindre ambiguïté (si l'unique survivant du massacre avalise ce faux, c'est bien sûr au nom de la raison d'Etat, pour l'« honneur de l'Armée », mais aussi, plus subtilement, par égard pour les soldats tués dans l'accomplissement de leur devoir et que l'on voit « revivre » en surimpression). En 1934 déjà, *La Patrouille perdue* met en scène un officier de bonne volonté, mais incompétent, qui est tué dès la première séquence du film, puis expose méthodiquement, presque mécaniquement, la destruction quasi inéluctable du groupe d'hommes dont ce lieutenant avait la charge. Seul survit, en vrai professionnel, le sergent. Le pathétique naît de ce que, privé d'instructions, et face à un ennemi arabe surnaturellement invisible, le sergent n'a pu, malgré ce professionnalisme sans faille, protéger sa patrouille.

Voilà qui devrait permettre d'éloigner de Ford le reproche du triomphalisme. La compassion pour les vaincus imprègne *Les Quatre Fils* (1928), histoire d'une famille allemande décimée par la Grande Guerre ; et le thème de la gloire des vaincus est au cœur de deux œuvres particulièrement attachantes et révélatrices, qui me semblent susceptibles de constituer une excellente introduction à Ford : *Les Sacrifiés* (1945) et *La Dernière Fanfare* (*The Last Hurrah*, 1958).

On voit défiler, sous les crédits de ce *Last Hurrah*, un cortège électoral ; des bannières invitent à « réélire Frank Skeffington », et l'intéressé (qui a les traits de Spencer Tracy) salue, dans une décapotable, de son « tube » gris. Ce défilé triomphal a quelque chose de lugubre. Trop bien réglé, il manque du désordre qui est le signe du vivant. La photographie broie du noir. Enfin, cadrage et montage, obstinément « classiques », voire académiques, ne font rien pour corriger l'impression précédente. Le ton du film est donné : celui d'une œuvre ambiguë, qui met souvent mal à l'aise, dont le scénario est ponctué de trous béants, dont la mise en scène peut paraître, à de nombreuses reprises, peu inspirée, et qui néanmoins — on est tenté de dire pour ces raisons mêmes — laisse en définitive une impression très « fordienne », le sentiment d'une narration très émouvante et de la « saisie » de personnages réels et non fictifs...

Comment expliquer ce paradoxe ? C'est, me semble-t-il, que *La Dernière Fanfare* appartient en effet au genre du portrait posthume, mais qu'elle se refuse les facilités de l'idéalisation et du manichéisme. Le sentiment d'étrangeté va d'abord naître d'une séquence en particulier, celle de la veillée mortuaire — conformément à la tradition irlandaise — de « Knocko » Minihan. Ce personnage qui nous est inconnu, tout nous indique qu'il était profondément antipathique ; il était si avare qu'il n'a rien laissé à sa veuve, Gert, ayant même cessé de payer les primes de son assurance-vie. Par amitié pour Gert, et aussi parce qu'il est en campagne, que toute occasion de rassembler ses fidèles, de « goûter la soupe », est bonne à prendre, Skeffington fait passer le mot qu'il est chez elle, si bien que le « wake », d'abord désert (si l'on excepte Jane Darwell en « Delia Boylan », voisine ou cousine un peu cinglée, qui rit et parle fort et ne fait nullement semblant que le mort ait été quelqu'un de recommandable), va se transformer en une gigantesque « party », tout ce que le quartier compte de fonctionnaires municipaux, agents de police ou pompiers, se précipitant pour rendre un dernier hommage au défunt, en prenant des poses de circonstance parfaitement hypocrites et donc comiques. C'est tout juste si la veillée ne dégénère pas en saoûlerie.

Spencer Tracy dans *La Dernière Fanfare*

La fonction de la séquence est au moins double. D'une part, en approfondissant le portrait psychologique de Skeffington, elle nous montre qu'il est impossible de distinguer chez lui entre la motivation humaine ou amicale, et la motivation politique ou sociale. D'autre part, tout en nous indiquant que le plus inconnu, le plus insignifiant des personnages a droit à un hommage funèbre, elle nous invite, avec une certaine insistance, à considérer l'ensemble de *La Dernière Fanfare* comme un « wake » en l'honneur de Frank Skeffington. Nous allons en effet assister à la double mort de Skeffington : sa défaite électorale, bientôt suivie par sa lente, par son interminable agonie. Ainsi s'explique rétrospectivement l'impression de marche lugubre que nous éprouvions devant le générique. Mais le personnage nous aura été montré dans son ambiguïté, dans sa complexité de politicien, et non comme un saint.

Tel un Defferre à Marseille, un Daley à Chicago, Skeffington, l'Irlandais de Boston — dont le lointain modèle fut un certain James Curley — s'identifie entièrement à sa ville, à ses concitoyens, à leurs désirs. Il se fait le chantre astucieux, voire cynique, du compromis, érigeant une statue de la Mère Cabrini (première Américaine à être canonisée) afin de satisfaire ses diverses clientèles, patriotique, catholique, italienne, ne répugne pas aux méthodes expéditives, recourt au chantage pour forcer un banquier à lui accorder un prêt qui doit lui permettre de réaliser une opération de réhabilitation immobilière dont les fins sont à la fois philanthropiques et électorales. Il agit dans l'intérêt de ses électeurs, sinon de la ville entière. Il est le héros ethnique de sa communauté irlandaise, vengeant celle-ci des avanies qu'elle a subies jadis de la part des Yankees. Skeffington à la fois récuse et renverse la théologie manichéenne des Puritains : pour ceux-ci, les bons (l'aristocratie puritaine) s'opposent aux mauvais (les Irlandais, catholiques et vulgaires). Pour Skeffington — et, à n'en pas douter, pour Ford — c'est justement de cette arrogance que vient le mal ; les hommes de Skeffington ont une morale plus accommodante, et ce pragmatisme même est garant, en quelque sorte, qu'ils travaillent pour la « bonne » cause. Le point culminant de la confrontation voit Skeffington faire irruption dans le « Plymouth Club », bastion des Puritains, ironiser sur l'air raréfié qu'on y respire — le même qu'on respirait sur le Mayflower — et demander si l'on y médite quelque chasse aux sorcières. Le physique de Spencer Tracy, démagogue débordant d'énergie, fait ici un efficace contraste avec la maigreur glacée, la voix sèche du banquier Cass (Basil Rathbone). Dans cette séquence du Plymouth Club, et même si Rathbone est aussi émacié qu'était gras et rougeaud le juge Pyncheon de *La Maison des Sept Pignons*, Ford prolonge la verve satirique antipuritaine d'un Nathaniel Hawthorne.

Le refus du manichéisme n'exclut pas le grossissement de la caricature. On touche là du doigt un des reproches souvent faits à Ford, car certains perçoivent mal la fonction de ces intermèdes comiques qui leur paraissent (qui sont en effet) extraordinairement grossiers. Pour forcer la main de Cass, Skeffington se sert de son fils, un imbécile auquel il propose d'être chef des pompiers et qu'il photographie affublé d'un grand casque grotesque. Quant à McCluskey, le candidat que les « Puritains » opposent à Skeffington, sa prestation télévisée combine, dans une atmosphère truquée d'intimité familiale, la totale insincérité, la banalité, l'imbécillité. Chaque déclaration de McCluskey est couverte par les aboiements d'un gros chien qui n'est même pas le sien, mais a été loué pour la circonstance (on notera l'allusion à Nixon et à son chien Checkers, vedette d'un célèbre discours télévisé).

Excluant, par définition, le chevaleresque, la satire est sauvage, elle ne laisse aucune chance à l'adversaire. La séquence de la télévision a moins pour but d'établir, s'il en était besoin, l'intelligence supérieure de Skeffington, que de nous faire partager le sentiment trompeur que, face à un adversaire dérisoire, il ne saurait perdre, si bien qu'elle augmente le pathétique d'une défaite non seulement imméritée, mais inattendue. Comparable à celle qu'on trouve, à la même époque, chez le McCarey d'*Elle et lui*, la satire de la télévision doit d'ailleurs être relativisée : s'il est vrai que Skeffington mène, pour la dernière fois, une campagne à l'ancienne, raison pour laquelle il a invité son neveu Adam Caulfield (Jeffrey Hunter) à la « couvrir », jamais il n'a prétendu que la politique fût autre chose qu'un spectacle. Il est évident, dès qu'il a lui-même affaire aux caméras de la télévision, qu'à la différence de son adversaire, il en maîtrise parfaitement le maniement (quand il annonce qu'il va repartir en campagne, il « dirige » le caméraman en lui faisant signe de se rapprocher de lui).

Il conviendrait enfin d'observer que ces « intermèdes »

comiques ne sont justement pas des intermèdes, qu'ils constituent une partie intégrante du « monde de John Ford », du monde que Ford recrée ici et qui est celui de la politique, mais sera ailleurs celui de la guerre, de la famille ou de l'éducation. Peut-être faudrait-il citer les admirables pages « sur le heurt à la porte dans *Macbeth* », non pour évoquer, comme le fait De Quincey, le retour du monde diabolique des criminels dans celui de la quotidienneté humaine, mais pour imaginer que s'applique à Ford l'hypothèse alternative, celle de *l'unité profonde d'un seul monde aux émotions discordantes.*

Skeffington, politicien roublard, est aussi l'homme pieux qui tire l'inspiration du portrait « magique » de sa femme morte, devant lequel il ne manque jamais de s'incliner, de se recueillir et de placer chaque jour une rose fraîche. Cet autel privilégié identifie sans vergogne l'épouse à la Vierge, la religion familiale et amoureuse à la religion tout court. Difficile, derrière les traits fictifs de Skeffington, Irlandais de Boston, de ne pas apercevoir ceux de Ford, Irlandais de Cape Elizabeth (Maine). Qu'il s'agisse d'un *memento mori*, d'une méditation en forme de mise en scène sur ce que serait sa propre agonie, est corroboré par l'académisme de la facture et par le noir de l'image, mais aussi par la présence, autour de Spencer Tracy, de tant de « vieux acteurs », gloires déchues de Hollywood (Pat O'Brien, Ricardo Cortez), ou dont la carrière fut souvent associée à celle de Ford (Donald Crisp, John Carradine). Skeffington sur son lit de mort préfigure Ford sur le sien, coiffé d'une casquette de base-ball, mâchant un cigare, le chapelet à la main, tel qu'il apparaît dans le tableau de R.B. Kitaj (Metropolitan Museum of Art, New York). Par une manière de justice poétique, le metteur en scène qui emprunta tant de ses compositions à la peinture (notamment le motif de la Pietà) inspire à son tour un peintre ; Kitaj environne le mourant de personnages tirés de ses films, le sergent Mulcahy en grand uniforme (*Fort Apache*), les vieillards de *La Route au tabac*, les pionniers dansant des *Mohawks*, la prostituée du *Soleil brille pour tout le monde*.

Cependant ce ton élégiaque n'est pas propre à la vieillesse de Ford. En 1945, le réalisateur, qui avait collaboré avec Gregg Toland à un documentaire sur Pearl Harbor (*December 7th*, 1943), consacre un long film à l'une des plus graves défaites subies par les Etats-Unis, et aux moyens d'y remédier : aux

Les Sacrifiés : John Wayne, Donna Reed, Robert Montgomery

Philippines, en même temps que les troupes américaines mènent, face aux Japonais, un combat d'arrière-garde, héroïque mais désespéré, deux officiers luttent contre le conservatisme de l'état-major, s'efforçant de le convaincre de l'efficacité de leurs vedettes lance-torpilles. C'est là le sujet des *Sacrifiés* (*They Were Expendable*), auxquels Jacques Siclier fait l'aumône d'un carré noir (« On peut voir... ») tandis que Lindsay Anderson salue en eux, à juste titre, un des chefs-d'œuvre de Ford. Certes, cette méditation mesurée sur la défaite n'est pas unique dans le cinéma américain, même en pleine guerre mondiale (*Cry Havoc* de Richard Thorpe, film attachant car singulièrement dépourvu de triomphalisme, qui met en scène des infirmières pendant la retraite des Philippines, date de 1943), mais les protagonistes sont ici « sacrifiés » de multiple manière, selon les schémas spécifiquement militaires de *La Patrouille perdue* et de *Fort Apache* : sacrifiés dans une défaite dont ils ne sont pas responsables, humiliés parce que de marins ils deviennent fantassins et que leur dernière vedette, abandonnée à l'armée, s'en va par voie de terre, sacrifiés non seulement parce qu'ils protègent la retraite du généralissime MacArthur, mais parce que le héros taciturne qu'incarne Robert Montgomery demeurera, contrairement au Supremo, oublié de la gloire. (Lorsque MacArthur prend l'avion pour l'Australie, un jeune marin lui demande un autographe. Loin que le geste désigne, comme le veut Sarris, la note humaine dans l'apothéose d'un Surhomme, j'y vois, pour ma part, une intention satirique : même battu et battant en retraite, l'incorrigible MacArthur prend le temps de distribuer des autographes, de nourrir sa propre légende. Derrière MacArthur se profile donc la silhouette du colonel Thursday de *Fort Apache*.)

Notons au passage que le laconisme de ces professionnels que sont les « Sacrifiés » devrait inciter à nuancer un parallèle trop schématique entre Ford et Howard Hawks. De même que Racine, dans *Britannicus*, fait en quelque sorte « du Corneille », de même Ford, dans *They Were Expendable*, met en scène des personnages hawksiens. Comme l'observe Lindsay Anderson, « nous ne savons rien de Brickley en dehors de son activité dans l'armée, rien sur sa famille ou sa vie privée ». Et Donna Reed en salopette joue un rôle double, sentimentale « sweetheart », mais aussi « camarade » à la Jean Arthur dans *Seuls les anges ont des ailes*, qui permet de corriger certaines généralisations sur la misogynie, parfois indéniable, de Ford. (Avec ses yeux noirs, profonds et mélancoliques, Donna Reed exprime la même émotion amoureuse mais tacite que quelques années plus tard, sous la direction de Fred Zinnemann, dans *Tant qu'il y aura des hommes*.)

L'Aigle vole au soleil (*The Wings of Eagles*, 1957) se rattache, par de multiples liens, aux *Sacrifiés*. Comme ceux des *Sacrifiés*, le héros de *L'Aigle* a un modèle « réel », Frank Wead, pionnier de l'aéronavale devenu scénariste à Hollywood. Il est incarné par John Wayne, qui jouait le rôle de Ryan aux côtés de Robert Montgomery en Brickley. Wead, comme Brickley, s'efforce de convaincre l'état-major du bien-fondé d'innovations techniques que la hiérarchie militaire considère avec suspicion. Marin, Wead passe son temps à se bagarrer avec l'Armée ; c'est l'occasion de scènes de farce que la critique s'accorde à déplorer, mais dont le sens (préfigurant *La Taverne de l'Irlandais*) me paraît clair : c'est que la vie civile, ou la vie en temps de paix, n'est que la continuation de la guerre, par d'autres moyens. Avec ses connotations marines appropriées, le « Requiem » de Robert Louis Stevenson, que Wayne récitait sur un ton délibérément prosaïque dans *Les Sacrifiés*, ponctue la carrière de Wead :

> Home is the sailor, home from the sea,
> And the hunter home from the hill.

The Wings of Eagles partage avec *Les Sacrifiés* et avec *La Dernière Fanfare* son mode mélancolique. Pourtant il serait inexact de parler ici de la gloire des vaincus ; Wead est une manière de « vainqueur », mais à quel prix personnel : il abandonne, pour se consacrer à ses entreprises militaires, sa femme et ses deux filles, il connaît la paralysie, une lente rééducation, subit enfin, après avoir repris du service, une crise cardiaque et doit être évacué, en plein Océan, dans une nacelle. Bref, nous voyons, de manière répétée, cet aigle, ou cet albatros, réduit à l'impuissance, y compris dans le sens sexuel du terme ; sa « crise cardiaque » et sa « retraite », à la fin du récit, constituent une métaphore suffisante de sa mort, que confirment les flash-backs de son passé familial (pareils aux ultimes visions d'un noyé, ou aux surimpressions des Cavaliers, à la fin de *Fort Apache*). Le thème connaît ici une variation subtile : c'est la mélancolie de la victoire. Pour ma part, à la différence de

Hommes sans femmes : *L'Aigle vole au soleil*

Lindsay Anderson, je juge poignante la mélancolie de cette conclusion, et je crois tout à fait approprié le choix de John Wayne pour interpréter « un personnage aussi complexe que Wead » : il est — je le répète — plus poignant que Wead, force de la nature, « force qui va » au moral comme au physique, bulldozer qui écrase tout sur son passage, soit incarné par un acteur du même type, qui devra, comme Wead lui-même, se soumettre à l'apprentissage humiliant de la rééducation physique et surtout morale en acceptant de se faire aider par les autres.

2. L'HISTOIRE

Le Cheval de fer, Vers sa destinée, Sur la piste des Mohawks, La Conquête de L'Ouest

De Valéry Giscard d'Estaing, on dit qu'il ne savait pas que l'histoire est tragique. Son successeur le sait-il davantage ? La conception fordienne de l'Histoire est, sans conteste, plus proche du gaullisme, ou de Churchill ; c'est une conception qu'on peut qualifier d'héroïque (ou d'agonistique), dans sa double dimension collective (épique) et individuelle (tragique). De l'épopée collective, *Le Cheval de fer*, qui célèbre la construction du chemin de fer transcontinental, *Sur la piste des Mohawks*, qui traite, sur le mode de la réfraction, de la Révolution américaine, *Le Convoi des braves*, qui met en scène une communauté de Mormons en route pour leur Terre promise, constituent autant d'exemples classiques.

Quant au héros tragique, à la fois agent et victime de l'Histoire, il s'agit, au premier chef, de Lincoln. Dès *Le Cheval de fer* (*The Iron Horse*, 1924), dans un rôle court mais capital, son personnage dissimule, sous la gaucherie physique, le don visionnaire, allié à la capacité d'agir. Il croit immédiatement au chemin de fer transcontinental et, devenu président, signe, contre l'avis de ses généraux, l'ordre de le construire (mais il n'en verra pas la réalisation). Il a même quelque chose du roi thaumaturge dans la façon dont il « marie » symboliquement, dès leur enfance, le héros et l'héroïne du récit. Si sa figure tutélaire hante d'autres parties de l'œuvre, c'est à sa « jeunesse » que Ford consacre *Vers sa destinée* (*Young Mr. Lincoln*, 1939). Ford et son scénariste Lamar Trotti composent un Lincoln familier, taciturne, méditatif mais doté d'humour, encore associé au « Border South » d'où il est issu.

Dans une interprétation admirable, Henry Fonda exprime la vraie finesse du personnage et joue habilement de sa gaucherie physique, en faisant d'elle un signe proprement épique, un excès de « corporalité ». Non seulement la silhouette longiligne est accentuée, conformément à la tradition, par le chapeau en « tuyau de poêle » ; surtout, le cadrage, projetant au pre-

Lincoln en marche « vers sa destinée »

mier plan les pieds démesurés de Lincoln, le transforme en force de la nature, en géant de légende, Paul Bunyan. Lors du choix des jurés, il déploiera sur toute la largeur du cadre son corps de Gulliver apparemment inerte devant des Lilliputiens. De même, c'est la gaucherie de ce corps épique qui fait qu'il lit ses livres de droit la tête en bas, les jambes emberlificotées dans l'arbre contre lequel il s'appuie.

Lincoln étudie le droit ; il dit à Ann Rutledge qu'il n'a rien contre les rousses, bien au contraire. Il décide de se faire avocat, se rend à Springfield, capitale de l'Etat d'Illinois, participe aux festivités de l'Independence Day : entre une tarte aux pommes et une tarte aux pêches, il s'avoue incapable de dire quelle est la meilleure, il les mange l'une et l'autre ; à l'épreuve du bûcheronnage, il gagne, prouvant qu'il n'a pas perdu ses talents d'homme de la frontière ; à la lutte à la corde, il triche pour faire gagner son équipe, se montrant politique selon le cœur de Ford : attaché aux principes, souple dans leur application. Un meurtre est commis : entre les deux suspects, deux frères, Lincoln, après les avoir sauvés du lynchage, approuve leur mère de refuser de dire quel est le coupable ; il les sauve définitivement l'un et l'autre en confondant le vrai coupable. Ce coup de théatre lui vaut la gratitude de la famille Clay, et l'admiration de la veuve Todd : voilà Lincoln en marche « vers sa destinée ».

On ne saurait manquer d'être frappé par les « lacunes » du film ; mais s'en étonner dénoterait une sous-estimation des propriétés métaphoriques et métonymiques du cinéma. Nulle allusion « prémonitoire » au conflit entre le Nord et le Sud ; mais la métaphore de l'incapacité à choisir entre ses enfants (reprenant l'impossibilité de choisir entre les tartes) est transparente. La musique qui « dénote » la guerre civile encadre le film : le « Battle Cry of Freedom » accompagne le générique, tandis que les accents du « Battle Hymn of the Republic » (« Glory, glory, hallelujah... ») retentissent lors du finale, qui, à l'image du héros sauveur gravissant une colline, sous l'orage, fait succéder en fondu-enchaîné celle de sa statue colossale à Washington. Ces musiques n'ont d'ailleurs rien de triomphal. Le « Battle Cry », contrairement aux interprétations enlevées qu'on en donne d'habitude, est ici chanté sur un rythme lent, et de cri de guerre se mue en lamento élégiaque ; le « Battle Hymn » garde son tempo dramatique, mais l'orage, mettant l'ultime touche au parallèle christique implicite dans toute l'œuvre, transforme l'apothéose finale en montée au Calvaire. (Ces remarques, soit dit en passant, permettent de répondre à l'objection de Gallagher, pour qui la musique « triomphale » des *Sacrifiés* — qui utilise précisément les thèmes du « Battle Cry » et du « Battle Hymn » — contredit le message beaucoup plus feutré du film : c'est que ces thèmes sont susceptibles d'évoquer la victoire, mais aussi le sacrifice et le martyre.)

L'ellipse la plus saisissante concerne Ann Rutledge. Lincoln et Ann ont leur conversation amoureuse ; la scène est d'autant plus émouvante qu'elle est doublement retenue : dialogue indirect (Lincoln parle de son goût pour les rousses en général, non pour Ann en particulier), filmé non pas en gros plan mais en plan moyen, l'espace séparant / réunissant les amants immobiles. Dans l'image suivante, la rivière charrie de la glace, c'est le dégel après l'hiver, le « dialogue » se poursuit, mais entre Lincoln et la tombe muette d'Ann. L'ellipse n'a pas ici pour effet de créer la surprise : au moins pour le spectateur américain, la vie de Lincoln est suffisamment familière (Sandburg obtient le prix Pulitzer pour sa biographie de Lincoln justement achevée en 1939) ; il s'agit au contraire de montrer la soumission de Lincoln à son destin. La rivière qui coule à l'arrière-plan a la même signification que chez Héraclite (*Panta rhei* : passage inéluctable du temps), tout en composant à la séquence une toile de fond poétique. L'« injustice » d'une mort précoce n'inspire aucune plainte à Lincoln, qui par fidélité à Ann décide de poursuivre une carrière juridique. La musique couvre presque les paroles de Fonda, produisant un effet d'oratorio. L'équation de Lincoln est clairement donnée : il n'assume son ambition, son rôle d'« agent » de l'Histoire, que dans la mesure où il est « agi » par les femmes, et où il se fait, à l'image d'Ann Rutledge, victime consentante du destin.

« Agi » par les femmes : sa fiancée rousse, même de sa tombe, incline le bâton qui jette le sort de Lincoln. Sa mère, Nancy Hanks, exerce sur lui une autorité morale d'autant plus exigeante qu'absente du film en tant que personnage, elle s'exprime, dès le générique, par le truchement du poème de Rosemary Benet (dans lequel son « fantôme » demande : « Où est mon fils ? ») et du thème musical qui l'accompagne. Cette mélodie d'Alfred Newman — « Le Destin de Lincoln » — pourrait aussi bien s'appeler « Nancy Hanks » ; on l'entendra à nouveau non seulement (et avec insistance) dans la suite du film, mais aussi dans « La Guerre civile » (épisode de *La Conquête de l'Ouest*) et dans *Les Cheyennes*. D'autre part, et de son propre aveu, deux membres de la famille Clay, la mère et la petite fiancée d'Adam, Carrie Sue, rappellent à Lincoln sa propre mère et sa fiancée Ann Rutledge.

« Agi » enfin par Mary Todd, qui le poursuit moqueusement de ses assiduités. La soumission de Lincoln à Mary Todd marque, dans l'acceptation de son destin tragique ou sacrificiel (nécessairement connu du spectateur, et donc déterminé antérieurement au récit du film), une étape considérable. Mary n'a pas le charme juvénile, malicieux mais sans apprêts, d'Ann Rutledge, qui était associée à l'arbre, à la rivière, à la nature : la veuve Todd représente, en même temps qu'une ambition affirmée plus crûment, la société policée, la grâce mécanique de la sautillante polka Biedermeier « Chaussons d'or » (la même exactement qu'on entendait chez Griffith, dans *A travers l'orage*, dont la partition originale a été récemment restituée par le Musée d'Art moderne de New York). Du cercle des danseurs, Lincoln est d'abord exclu (lorsqu'il arrive chez Madame Edwards, ce cercle lui barre le premier plan de l'image, le cantonne à l'arrière-plan), Mary Todd l'y intègre, mais préfère bientôt entraîner un cavalier si malhabile sur la terrasse, avec vue sur la rivière.

Cette vue plonge Lincoln dans une rêverie mélancolique, suscite la mélodie d'Alfred Newman associée à « Ann Rutledge », force Mary Todd à s'effacer. Il n'empêche : nous savons que celle-ci a « gagné », qu'elle sera l'épouse du président. A cet égard, le destin de Lincoln était scellé dès qu'il avait accepté l'invitation de Mary Todd à se rendre au bal de sa sœur, et qu'il s'était lui-même, avec une paire de gros ciseaux, coupé les cheveux — pour se rendre « présentable », mais aussi tel un Samson qui de sa propre initiative sacrifierait à Dalila la force sacrée qu'il tient de sa chevelure. (Les gros ciseaux sont exactement pareils à ceux que tient Dalila plantureusement flamande dans le tableau de Rubens à Munich.)

Si le parallèle dominant reste celui du Christ, Ford, avec une audace tranquille, rappelle que dans la composition de la figure messianique entrent la souffrance, mais aussi l'humour familier des paraboles. Dissuadant la foule des lyncheurs, Lincoln se montre habile en même temps qu'idéaliste, sait mettre les rieurs de son côté. Au « dialogue » noble et sentimental sur la tombe d'Ann Rutledge fait écho un « dialogue » non moins déséquilibré, mais bouffon et humain, lors du choix des jurés : Lincoln y interroge Sam Boone, trappeur barbu, toujours coiffé de son bonnet de fourrure et muni de son cruchon de whisky, exemple de l'humanité de la Frontière, fruste mais fondamentalement honnête, qui ne lui répond guère que par gloussements et onomatopées. C'est Francis Ford, le frère du réalisateur, qui incarne Sam Boone. A l'admiration pour sa composition se mêle une curiosité teintée de mélancolie : passionné, comme son frère, par la figure de Lincoln, Francis Ford avait, vingt-cinq ans avant Fonda, incarné, à plusieurs reprises, le président.

Immédiatement après le rôle du jeune Lincoln, Fonda interprète, toujours sous la direction de Ford, le jeune marié de *Sur la piste des Mohawks* (*Drums Along the Mohawk*, 1939). D'abord épargnés par la Révolution américaine, les pionniers doivent prendre les armes et se défendre contre les Indiens alliés et clients des Anglais. Il y aurait beaucoup à dire sur cette œuvre très riche, où Ford aborde la couleur pour la première fois, et sur son appel au rassemblement national au moment même où la guerre éclate en Europe (on rapprochera *Le Grand Passage*, de King Vidor, exactement contemporain). Je me bornerai à trois remarques rapides. 1. Le pittoresque des personnages secondaires confirme la dette de Hawks envers Ford (« Je l'ai copié chaque fois que j'ai pu », confiait Hawks à Joseph McBride). Francis Ford en trappeur à la Bas-de-cuir et Chief Big Tree en Indien américanisé, bon chrétien qui s'exclame « Hallelujah ! », incarnent deux types qui seront repris presque tels quels par Arthur Hunnicutt et Hank Worden respectivement dans *La Captive aux yeux clairs* (*The Big Sky* de Hawks, 1952). 2. *Ford est l'héritier légitime de Griffith.* En témoigne, parmi tant d'indications, une image que Gallagher qualifie à juste titre de « moment magique ». Un vaste paysage, en vue panoramique, est barré au fond par des sapins. L'image est traversée en diagonale par les soldats américains qui s'éloignent au son de « Yankee Doodle Dandy ». Au tout premier plan à gauche, Lana (Claudette Colbert), la femme de

Les pionniers de *Sur la piste des Mohawks* : Ward Bond, Francis Ford, Henry Fonda, Claudette Colbert

Gil (Fonda), est debout puis s'effondre. La composition est reprise « textuellement » du Griffith de *La Naissance d'une nation* (la marche de Sherman vers la mer). Mais où les sympathies sudistes de Griffith dictaient un conflit insoluble entre l'épopée et le pathos, Ford, se dispensant même du panoramique auquel Griffith avait eu recours, montre le lien inextricable entre deux émotions qui sont fonction l'une de l'autre.
3. La référence aux classiques s'impose. A son retour, Fonda décrit la bataille à laquelle il a participé, les Indiens peints de bleu, de jaune, de rouge, les Anglais en habit rouge. On raconte que Ford, las des relances de Zanuck, qui lui reprochait d'être en retard et d'avoir dépassé son budget, se résolut, au lieu de filmer une bataille longue et coûteuse, à ce « récit de Théramène ». Qu'importe l'anecdote ; le rapprochement avec la tragédie classique (mais aussi avec les procédés immémoriaux de l'épopée) est confirmé par la course de Fonda, parti chercher des renforts et poursuivi, tel Horace, par trois Indiens. Rythmé par la musique de « Yankee Doodle Dandy », rappelant la chevauchée nocturne de Paul Revere, mais aussi l'exploit de Marathon, ce long morceau de bravoure joue avec virtuosité du surgissement des silhouettes à l'horizon, dans la lueur orangée du crépuscule du matin. Par une ultime ellipse, Ford nous donnera à voir sa conséquence (l'arrivée des renforts), mais non sa conclusion.

En 1962, Ford revient à un chapitre de l'histoire américaine où la figure de Lincoln est directement impliquée. Consacré à la guerre de Sécession, le bref épisode (vingt-cinq minutes) de *La Conquête de l'Ouest* (*How the West Was Won*) que dirige Ford se détache sans dommage de cette superproduction en Cinérama. Dans la première scène, on voit Lincoln s'approcher, s'asseoir à son bureau, prendre une plume et écrire. Le personnage est interprété par Raymond Massey, qui (la même année que Fonda dans *Vers sa destinée*) avait déjà joué ce rôle dans *Abe Lincoln in Illinois* de John Cromwell, d'après la pièce de Robert Sherwood. On entend la mélodie « Lincoln's Destiny » reprise du film de 1939 ; cet effet d'intertextualité n'est pas seulement rétrospectif ; liée, comme je l'ai noté, à Nancy Hanks, la mère du futur président, la mélodie indique aussi que « La Guerre civile » sera consacrée aux rapports entre une mère et son fils — entre une mère morte et un fils destiné à mourir.

Après son prologue historique, l'épisode a la forme simple et majestueuse d'un triptyque. Premier volet : la ferme Rawlings, tenue par la mère (Carroll Baker) et ses deux fils (le père est parti à la guerre). Jeremiah est un fermier dans l'âme, tandis que Zeb (George Peppard), pareil à son père, brûle de s'engager. La mère, renonçant à convaincre Zeb de se rendre en Californie, loin du conflit, lui laisse entendre, presque tacitement, en tout cas indirectement, en parlant du travail qu'elle aura à faire avant son départ, de ses vêtements à lui qu'il faudra préparer, qu'elle ne s'opposera pas à ce départ. Elle se penche sur Zeb assis sur le porche, l'étreint brièvement et silencieusement. Le motif est, sans conteste, religieux ; il s'apparente à une Pietà, ou à une variante comme dans le dessin du Guerchin *Le Christ ressuscité et la Vierge* (A mi-corps : la Vierge agenouillée baise la main droite du Christ, collection Frits Lugt). Religieuse est à la fois la reconnaissance de la « divinité » du fils, *la soumission de la mère au fils*, et l'acceptation du destin, quel qu'il soit ; religieuse, l'émotion pathétique qui se dégage du motif. Zeb réagit d'abord en sautant de joie ; puis, toujours sans dialogue, il revient lentement, de façon « réfléchie », vers sa mère.
Dans son esprit, la scène est proche de Renoir, du départ de Bomier pour Paris dans *La Marseillaise*, la mère effondrée acquiesçant au départ de son fils, le favorisant même en payant ses dettes, tout en craignant, tout en sachant que, soit qu'il meure, soit qu'elle meure, ils ne se reverront jamais (et lui s'en allant gaiement, sans se retourner, au rythme entraînant de la Carmagnole), mais acquiesçant parce qu'à ses propres yeux, le fils est le chef de la famille, qu'elle a donc le devoir de lui obéir.

Puis la mère « dialogue » avec son père mort, parmi les tombes du cimetière familial, évoquant ce paradoxe « psychologique » qui veut que Zeb soit pareil à son père, épris d'aventure, et que pour cette raison même ce type d'homme soit aimé de la femme, elle qui incarne les valeurs de la stabilité, de la permanence, de la colonisation (chez Renoir, il s'agissait plutôt d'un paradoxe « idéologique » : imprégnée des valeurs traditionalistes, la mère de Bomier est contrainte d'obéir à son fils, qui a choisi la Révolution).

Le volet central, consacré au soir qui suit la bataille de Shiloh, épouse lui-même une forme symétrique : il s'ouvre et se clôt sur une canonnade déchirant la nuit, de gauche à droite puis en sens inverse. Ironie dramatique : le spectateur apprend, sans fioriture ni sentimentale ni héroïque, la mort du capitaine Rawlings (c'est-à-dire du père de Zeb), dont le cadavre est « expédié » presque cyniquement par le chirurgien, qui a mieux à faire (s'occuper des blessés, non des morts) ; cette mort restera inconnue de Zeb, qui, en revanche, assiste par hasard à une conversation entre les généraux Sherman et Grant, et sauve la vie de celui-ci. Pour l'essentiel, ce volet central se rattache à la longue tradition iconographique des vainqueurs magnanimes, dont l'exemple le plus célèbre est sans doute le Napoléon à Eylau du baron Gros. On parla de « la boucherie d'Eylau » ; l'expression convient parfaitement à ce que Ford nous montre de Shiloh : enterrement dans la fosse commune, opération sur une table de boucher, ruisseau rougi par le sang. Nul attendrissement de la part des personnages « historiques », Grant et Sherman, dont la conversation porte sur la conduite de la guerre, mais leur brève visite à l'hôpital suffit à attester leur humanité.

Retour de Zeb à la ferme familiale. Le cimetière compte deux pierres tombales de plus, le cénotaphe du père, mais aussi la tombe de la mère. Impossible ici de ne pas évoquer le tableau du préraphaélite Arthur Hugues, *Home from Sea* (Ashmolean Museum, Oxford) : aux côtés de sa sœur vêtue de deuil, le jeune marin est prostré dans l'herbe d'un idyllique cimetière de campagne, fleuri et où gambadent des moutons.

Si l'on retrouve le thème du conflit entre la pastorale et l'Histoire, on mesure, une nouvelle fois, la différence profonde d'avec Griffith. Ce n'est pas seulement une question de sympathies nordistes (Griffith, après tout, consacra un de ses derniers films à Abraham Lincoln), encore que le seul personnage sudiste de l'épisode soit un déserteur texan qui, ayant prodigué à Zeb ses protestations d'amitié, se met en devoir de tuer le général Grant. Surtout, le processus est, chez Ford, dynamique et proprement dialectique : la paix (la femme) « aime » la guerre (le guerrier), car sans aventure, pas de conquête, pas de colonisation (cela ne gomme pas le déchirement tragique, la perte des êtres chers), tandis que, chez Griffith, l'opposition radicale entre la pastorale sudiste de *l'ante-bellum* et une guerre civile qui paraît imposée d'ailleurs, comme une fatalité, débouche sur une impasse. Griffith veut, grâce au Ku Klux

Klan, restaurer un état censément idyllique. Ford est tragique (la division est, en quelque sorte, inscrite dans la famille) où Griffith est nostalgique. Ford, sans se leurrer sur le tribut qu'il exige en souffrance, souscrit au caractère inéluctable du progrès historique, où Griffith est passéiste et sentimental, en un mot : réactionnaire.

Arthur Hughes : *Home from Sea* (Ashmolean Museum)

3. LA FARCE ET L'EPOPEE

Le Massacre de Fort Apache, Rio Grande, La Charge héroïque

Avec la *Chevauchée fantastique* et *L'Homme tranquille*, la trilogie sur la Cavalerie américaine constitue sans doute la partie la plus populaire de l'œuvre de Ford, elle appartient au petit nombre de ces « classiques » que la télévision programme l'après-midi des jours fériés et qui font même la fortune des marchands de cassettes vidéo. Quel que soit leur air de famille, on verra cependant qu'on ne saurait mettre sur le même plan *Le Massacre de Fort Apache* (*Fort Apache*, 1948), *La Charge héroïque* (*She Wore a Yellow Ribbon*, 1949) et *Rio Grande* (id., 1950). Les points de ressemblance « objectifs » sont nombreux et frappants. L'action se situe dans l'Ouest ou dans le Sud-Ouest, dans les années 1876-1878. Les protagonistes — officiers, sous-officiers, hommes de troupe appartenant à la Cavalerie américaine — ont souvent participé à la guerre de Sécession (1861-65), normalement mais pas nécessairement sous l'uniforme nordiste. La communauté militaire est décrite de l'intérieur, avec sa hiérarchie, ses rites, ses conflits d'ordre professionnel ou personnel. C'est une société qui se suffit à elle-même : l'éloignement lui confère une très grande autonomie ; la présence de femmes et d'enfants, tout en lui apportant quelque chose de la variété d'une société civile, donne le sentiment qu'elle peut se perpétuer sans apport extérieur : les filles des officiers épousent de jeunes lieutenants qui feront à leur tour carrière dans la Cavalerie. Cependant, ces militaires ont une fonction, celle de maintenir la paix — ou l'ordre — dans de vastes territoires qui semblent dépourvus de toute autorité civile et où de rares pionniers s'efforcent de cohabiter avec des tribus indiennes plus ou moins belliqueuses. C'est, si l'on veut, la gendarmerie nationale dans la brousse, dans la Nouvelle-Calédonie d'aujourd'hui.

L'air de famille est renforcé par le retour des mêmes acteurs, et d'abord du « couple » que forment l'officier (le maître) incarné par John Wayne et le sergent (le valet) qu'interprète

Victor McLaglen. Wayne est successivement le capitaine Kirby York, le capitaine Nathan Brittles, le lieutenant-colonel Kirby Yorke ; McLaglen, le sergent Mulcahy ou Quincannon, Irlandais de toute façon, et porté sur le whisky. On retrouve aussi, dans les trois films, la haute tignasse et la denture chevaline de Jack Pennick ; dans deux films sur trois, et dans des rôles à peu près identiques, John Agar, George O'Brien, Francis Ford, Ben Johnson, Harry Carey, Jr. La plupart des extérieurs, y compris ceux du « Texas » et du « Mexique » de *Rio Grande*, ont été tournés à Monument Valley (Arizona).

Les trois films sont adaptés de nouvelles de James Warner Bellah, qu'on a surnommé le « Kipling américain », et il est vrai qu'ils sont à la croisée de deux genres, ou constituent, si l'on préfère, une hybridation réussie du western par le film colonial. Nombre des formules qu'on trouve dans la trilogie ainsi que dans un ouvrage du même type légèrement antérieur (*La Charge fantastique* de Raoul Walsh) sont sans conteste héritées du « cinéma impérial » (situé notamment dans l'Empire des Indes) qu'Elstree, mais aussi Hollywood, avaient illustré avec panache et bonne conscience dans les années trente : armée melting pot, reflet des différentes « ethnies » qui composent la nation (britannique ou américaine), armée instrument de promotion sociale, armée instrument de colonisation, facteur de paix dans des marches frontières troublées par des fanatiques. Le genre, défense et illustration du « fardeau de l'homme blanc », peut très bien s'accommoder de la mise en cause, pour incompétence ou intolérance, de tel représentant de « la plus parfaite des races humaines » (G. Bruno, *Le Tour de France par deux enfants*). Les fleurons de ce cinéma sont *Les Trois Lanciers du Bengale* (Hathaway, 1935) ou *Gunga Din* (Stevens, 1939, d'après Kipling). Ce terrain fort bien balisé n'était pas inconnu de Ford, qui avait réalisé : en 1929, *The Black Watch*, avec Victor McLaglen dans le rôle du « capitaine King, des Khyber Rifles » ; en 1934, *La Patrouille perdue*, avec McLaglen dans le rôle du sergent (et parmi les autres soldats, un lecteur de Kipling et un Irlandais nommé Quincannon) ; en 1937, *La Mascotte du régiment* (*Wee Willie Winkie*), (très libre) adaptation de Kipling, avec McLaglen en « sergent MacDuff » (Ecossais donc, comme King, et non Irlandais) et Shirley Temple en petite-fille d'un colonel de l'armée des Indes. On retrouve Shirley Temple onze ans plus tard, interprétant dans *Fort Apache* le rôle de Philadelphia, la fille du colonel Thursday (Henry Fonda).

Le genre exige une spectaculaire confrontation finale entre l'armée et les tribus, confrontation le plus souvent violente (*Fort Apache*, *Rio Grande*), mais qui peut aussi prendre un tour diplomatique (*La Mascotte du régiment*, où le face à face de la fillette et des chefs pathans annonce de fort près telle scène de *Lawrence d'Arabie* ; *Les Cheyennes*). Dans *La Charge héroïque*, on assiste successivement aux deux variantes. Brittles va fumer le calumet de la paix avec le vieux chef Pony That Walks (c'est le même acteur, Chief John Big Tree, que dans les *Mohawks*, et ici aussi il s'écrie « Hallelujah ! ») mais, celui-ci n'ayant plus d'autorité sur les jeunes guerriers, Brittles, dans une de ces scènes de « fantasia » nocturne qu'affectionne Ford, dispersera les chevaux indiens pour prévenir un massacre. On observe donc une cohérence du personnage interprété par John Wayne par opposition à celui de Fonda. York ou Brittles essaient, comme le fera le capitaine Archer (Richard Widmark) dans *Les Cheyennes*, d'épuiser les voies de la négociation avec les Indiens, à la différence de commandants épris de gloire et pressés d'en découdre. On sait d'ailleurs, par son éloge de Grant et Sherman, que Ford n'est pas a priori hostile aux chefs de guerre qui ont une réputation de brutalité et font couler le sang ; mais ce doit être, pour ainsi dire, à bon escient ; Ford condamne le sang répandu « gratuitement ».

Fort Apache reprend, sous un déguisement transparent, un épisode célèbre de l'histoire de l'Ouest, l'anéantissement du 7e Régiment de Cavalerie à Little Big Horn. Aux Sioux de Sitting Bull, Ford a substitué Cochise et ses Apaches, mais, derrière le colonel Thursday, c'est bien sûr Custer et sa légende romantique qui sont visés (le général avait, dans *La Charge fantastique* de Walsh, les traits d'Errol Flynn). Dans *Fort Apache*, George O'Brien joue le rôle d'un capitaine qui, aux côtés de York, s'oppose vainement aux erreurs de jugement et à la déloyauté de Thursday ; dans *Les Cheyennes*, O'Brien, promu « commandant Braden », sera l'artisan d'une sorte de remake bâclé de *Fort Apache* : lancé à la poursuite des Cheyennes, il canonne le défilé où sont réfugiés femmes et enfants, mais ne peut empêcher les guerriers de disperser ses chevaux (la manœuvre est reprise de *La Charge héroïque*, mais avec renversement des rôles entre Indiens et Cavaliers) et trouve lui-même la mort.

Si Thursday ne sait pas combattre les Indiens car il les sous-estime, sa morgue prend aussi pour cible ses propres hommes. Patricien de Boston, il ne supporte pas que sa fille Philadelphia se soit, au premier coup d'œil, éprise du beau lieutenant O'Rourke, qui a le double tort d'être Irlandais, et le fils d'un simple sergent-chef. On voit s'esquisser ici le conflit « ethnique » entre WASPs et Irlandais que *La Dernière Fanfare* traitera en profondeur et qui reparaîtra sur le mode du burlesque dans *La Taverne de l'Irlandais*. Aussi la scène-clé de *Fort Apache* est-elle sans doute celle de la marche qui ouvre le bal des sous-officiers ; il n'est pas fortuit que les images en figurent au générique. L'armée est ici vue sous un aspect qui pourrait être qualifié de purement cérémonial (chacun ayant revêtu son uniforme de parade) si ce rituel auquel Ford (et avec lui la plupart des spectateurs) prend incontestablement plaisir n'avait un sens, une fonction tout à fait clairs. La rigueur du cérémonial détermine en effet avec précision la formation des couples qui ouvrent la marche : Thursday en compagnie de l'épouse du sergent-chef (c'est-à-dire Madame O'Rourke),

Fort Apache : le bal des sous-officiers

O'Rourke en compagnie de la fille du colonel. Aussi voit-on s'avancer de front, dans un mouvement parfaitement réglé, Shirley Temple, Ward Bond, Irene Rich et Henry Fonda : la discipline militaire force le colonel à effectuer symboliquement le geste démocratique qu'il se refuse à accomplir dans la réalité ; l'armée est désignée comme l'instrument d'un mélange des classes et des « ethnies » sinon des races.

Cette scène préfigure le finale paradoxal du film. Dans ce finale, York donne son aval, devant deux reporters venus de l'Est, à la légende héroïque de Thursday tel qu'à Washington un grand tableau l'a immortalisé, chargeant à la tête de son régiment. Le paradoxe est double. Il tient d'abord à ce qu'au nom de l'honneur, ou plus exactement de la continuité de l'armée, York fasse, d'une manière qui paraît d'abord glacée mais qui s'échauffe peu à peu, l'éloge sincère d'un officier criminel, auquel il s'est opposé avec constance. Promu colonel, York est, en quelque sorte, « devenu » Thursday (il porte à son tour, pour la première fois, une casquette assortie d'un mouchoir qui couvre la nuque, ensemble qui accentue la ressemblance avec le cinéma colonial car il évoque les képis de la Légion étrangère). Mais il semble bien que Ford lui-même reprenne à son compte, jusqu'à un certain point, cette conclusion. On m'objectera que la contradiction est éclatante, puisque le film entier a été consacré à dénoncer la légende de « Thursday » comme une imposture, et que je fais bon marché de l'élémentaire distinction entre l'auteur et son personnage. En réalité, chacun est dans son rôle, que voici : York assume l'héritage et assure la continuité de l'armée, dont il est le porte-parole. Ford, narrateur ironique, montre en Thursday un personnage auréolé de gloire grâce à la ruine de toutes ses ambitions, un parallèle étant établi entre sa défaite devant les Indiens et le mélange de sa lignée « aristocratique » avec celle des O'Rourke. Dans sa légende comme dans sa descendance, Thursday passe à la postérité d'une manière exactement opposée à celle qu'il avait ambitionnée. Par là (mais par là seulement), il devient en effet un personnage pathétique, voire un héros tragique, agent involontaire de l'Histoire.

Aucun doute sur le statut de *Fort Apache*, qui est une œuvre majeure. Qu'en est-il des deux autres volets de la trilogie ? J'avouerai que *Rio Grande* me paraît assez convenu. Les scènes d'action sont remarquables. Le parti esthétique est le même que dans *Fort Apache*, avec la file des cavaliers silhouettée sur un grand ciel de nuages « expressionnistes ». Le personnage de Maureen O'Hara, en aristocrate sudiste qui réprouve le militarisme grossier des Yankees en général et de son mari en particulier, introduit certes un élément de variété, mais cette opposition assez schématique est bien éloignée de la complexité et des subtilités de *Fort Apache*. Et la musique sentimentale irlandaise ruisselle jusqu'à faire du film une curiosité qui rappelle les « cow-boys chantants » des années trente. Le même genre de musique, interprété par les Sons of the Pioneers, est utilisé avec plus de parcimonie — et une efficacité décuplée — dans l'admirable *Convoi des braves*.

En revanche, *La Charge héroïque* n'a rien perdu de son attrait. Au lieu qu'on soit, comme dans *Fort Apache*, d'emblée sensible à la puissance du propos, le charme qui opère ici est d'abord celui de la forme. La couleur est particulièrement soignée (Winton C. Hoch reçut un Oscar pour la photographie). Les couleurs de la Cavalerie dominent : le bleu des uniformes, avec la diversité de ses nuances, du bleu marine des vareuses au bleu foncé des pélerines et à celui plus clair des pantalons ; le jaune vif des revers. Le port de ces couleurs traduit l'adhésion à la Cavalerie. Ainsi les femmes revêtent l'uniforme, ou du moins une variante de celui-ci, avec une vareuse militaire et une jupe d'un bleu encore plus clair. L'effet est d'ailleurs curieux : bien mal nommé, l'uniforme accentue le côté « dragon » de Mildred Natwick ; il rend au contraire Joanne Dru plus féminine, plus charmante sous son képi. Elle y met la dernière touche en glissant dans son chignon le ruban jaune qui donne au film son titre original et qui indique qu'elle aime un cavalier (la Cavalerie se fait ici chevalerie). Au bleu des soldats s'oppose, de loin en loin, la tache écarlate d'un manteau indien.

Bleu du ciel et ocre de la terre, le paysage reproduit, en plus sourd, l'accord bleu-or, éteint le bleu des uniformes couverts de poussière. De vastes compositions picturales ancrent la diagonale des cavaliers à une butte de Monument Valley à l'arrière-plan, sous un grand ciel d'orage qui occupe les deux tiers supérieurs de l'image. Comme Ford l'a indiqué à Peter Bogdanovich, « dans ce film j'ai essayé de copier le style de Remington — on ne peut pas le copier à cent pour cent — mais du moins j'ai essayé d'attraper sa couleur et son mouvement, et je crois que j'y ai en partie réussi ». Originaire de l'Etat de

New York, Frederic Remington (1861-1909) se rendit dans l'Ouest à l'âge de vingt ans et, peignant un monde d'ores et déjà en train de disparaître, il devint (et demeure) le plus célèbre des peintres du Far West. Très proche de la « trilogie fordienne » une œuvre comme *Dismounted : The Fourth Troopers Moving the Led Horses* (Clark Art Institute, Williamstown, Mass.), décrit un épisode précédant le massacre de Little Big Horn. Remington peint la Cavalerie sur un mode à la fois documentaire et idéalisé qui évoque la manière dont Raffet a traité (et à son tour contribué à diffuser) le mythe napoléonien. (Tel Raffet, Remington peint Little Big Horn quatorze ans après l'événement.) On ne s'étonnera pas du paradoxe apparent qui veut que Ford ait cherché à imiter le « mouvement » aussi bien que la « couleur » de Remington : il s'agit en effet d'une peinture très « cinétique », bien contemporaine du train entrant en gare de La Ciotat par la façon dont elle « lance » ses chevaux sur le spectateur dans un galop frontal.

C'est une peinture héroïque, « impérialiste » (Remington fut l'ami du rude chevaucheur Teddy Roosevelt), mais aussi nostalgique ; et la mélancolie baigne *La Charge héroïque*, notamment les scènes crépusculaires où Brittles, vieil homme recru d'épreuves, et dont le nom (*brittle* = « fragile ») dément l'apparence de force tranquille, l'assurance quelque peu mécanique, « dialogue » devant la tombe de sa femme. Ainsi faisaient le juge Priest de 1934, lui aussi veuf, Lincoln devant la tombe d'Ann Rutledge, Wyatt Earp sur celle de son jeune frère (*La Poursuite infernale*), ainsi fera Madame Rawlings sur la tombe de son père (*La Conquête de l'Ouest*).

Comme tout dialogue, toute rencontre de ce type, ceux-ci ont pour but de montrer l'identité profonde, au delà de l'apparence, entre les vivants et les morts. On observera que presque toute la tradition iconographique occidentale aborde ce thème sous l'angle de l'effroi, de la terreur qu'inspirent les morts aux vivants : Triomphe de la Mort, Rencontre des Vifs et des Morts, Danse macabre... On trouvera aisément, dans le cinéma, la postérité d'une telle iconographie : que l'on songe à Rex Ingram et à Minnelli (*Les Quatre Cavaliers de l'Apocalypse*), à Lang et à Bergman (*Les Trois Lumières*, *Le Septième Sceau*), à Kubrick et à Clint Eastwood (*Shining*, *Pale Rider*)... Cela reste vrai même sous la forme classique et apaisée du thème qui

La Charge héroïque : Monument Valley

swy-41

caractérise *Les Bergers d'Arcadie*. Chez Ford, loin que les morts terrorisent les vifs comme ils font depuis la grande peste de 1348, ce sont les vivants qui s'emploient à traiter les morts en familiers, les tiennent au courant, leur demandent conseil. Au lieu que les vivants soient désignés comme des morts en puissance (« Nous avons été ce que vous êtes, vous serez ce que nous sommes »), ce sont les morts qui sont affectueusement invités à demeurer dans la société des vivants : tant que nous sommes, ils seront ce qu'ils ont été. Les morts continuent à vivre en nous, non seulement par le souvenir, mais parce qu'ils inspirent nos actions (Ann Rutledge inclinant le bâton de Lincoln). La mémoire et l'action font des morts ces fantômes familiers grâce auxquels se perpétuent les familles, les régiments et les nations. C'est le sens des surimpressions qu'on voit à la fin de *Fort Apache* comme de *Qu'elle était verte ma vallée* et déjà dans *Les Quatre Fils* ; c'est le sens de la Grande Parade telle qu'elle figure au générique de *Fort Apache*, mêlant, elle aussi, les vivants (les femmes) et les morts (les soldats).

La mémoire fonde l'Histoire, et Ford ne craint pas d'adopter le ton grandiose de l'épopée lorsque la voix d'un récitant déclare, à la fin de *La Charge héroïque* : « Les voilà donc, les rudes cavaliers, les réguliers, les professionnels payés cinquante cents par jour, patrouillant les frontières d'une nation. De Fort Reno à Fort Apache, de Sheridan à Stark, ils étaient tous pareils : vêtus de bleu sale, et seule une page glacée dans les livres d'histoire pour marquer leur passage. Mais partout où ils sont passés, et pour quelque cause qu'ils se soient battus, cet endroit est devenu les Etats-Unis ». Mais ce ton approprié à la majesté d'une conclusion ne caractérise pas l'œuvre entière. Faut-il souligner la mutilation que fait subir au titre original sa « traduction » française : le sentimental et nostalgique « Elle portait un ruban jaune » est coulé dans le moule mécanique de « La Charge héroïque » (sur le modèle de « La Charge de la Brigade légère », « La Charge fantastique »...) — haut fait d'armes notoirement absent du film — tout comme le sentimental et musical « My Darling Clementine » était devenu « La Poursuite infernale ».

Si la tendresse marque par exemple les rapports entre John Wayne et Joanne Dru, la farce apparaît ici comme la sœur de l'épopée. Les sergents irlandais obéissent aux ordres : ils détruisent, en le consommant, le whisky saisi chez l'agent des affaires indiennes (*Fort Apache*). Dans *La Charge héroïque*, McLaglen - Quincannon se surpasse avec la complicité du costume civil que lui prête John Wayne, de Francis Ford en barman et d'un air de reel entraînant. Il assomme les soldats venus l'arrêter, dans une scène burlesque qui est pourtant, comme l'a bien noté Gallagher, une sorte d'hommage à la mort héroïque de Porthos, chez Alexandre Dumas.

La Cavalerie ne cessera pas d'inspirer John Ford. (Elle figurait, naturellement, dans *La Chevauchée fantastique*, où son arrivée in extremis sauvait les passagers de la diligence poursuivie par les Apaches de Geronimo.) *Les Cavaliers* (*The Horse Soldiers*, 1959), qui relatent un raid nordiste en territoire confédéré, pendant la guerre de Sécession, constituent un cas un peu spécial puisqu'ils délaissent les espaces plus familiers de l'Ouest et du Sud-Ouest. Le 7e Régiment de Cavalerie — celui de Custer — fait une brève et peu glorieuse apparition dans *La Prisonnière du désert* (*The Searchers*, 1956) : au son de « Gary Owen », un camp comanche est dévasté ; c'est là un jalon essentiel entre *Fort Apache* et *Les Cheyennes*. Esquissées très tôt, les

John Wayne dans *Les Cavaliers*

ambiguïtés du traitement des Indiens par l'armée feront en effet, de manière beaucoup plus développée, le sujet des *Deux Cavaliers* (*Two Rode Together*, 1961) et surtout des *Cheyennes* (*Cheyenne Autumn*, 1964). Toutes filmées en couleurs, ces œuvres reprennent les choix esthétiques de *La Charge héroïque* et associent notamment les éclats du rouge à la bravoure et à la sexualité indiennes.

Enfin, *Le Sergent noir* (*Sergeant Rutledge*, 1960) se rattache très étroitement à la trilogie : par ses personnages (Jeffrey Hunter y reprend même le type physique de John Agar), par son décor (Monument Valley), par un ton qui fait alterner la satire et l'épopée, par son analyse de l'institution militaire, par sa conclusion qui assimile la Cavalerie tout ensemble à un foyer familial et à un instrument d'intégration sociale et de progrès historique. Il n'est pas étonnant que le scénario en soit dû à Willis Goldbeck — et à James Warner Bellah.

4. IRLANDES

L'Homme tranquille, La Taverne de l'Irlandais, Mogambo

Le pluriel, en hommage aux *Italies* d'Yves Hersant, mais aussi parce qu'on est fondé à penser qu'il existe en effet, chez John Ford, plusieurs Irlandes : celle de l'état civil, celle de l'histoire et de la politique, celle de la littérature et de la musique... A vrai dire, cette apparente diversité n'en a pas moins son unité, car elle est soumise à la cohérence du mythe. Mais c'est la raison pour laquelle précisément il y a des Irlandes, des îles bienheureuses d'où les héros fordiens seraient issus et qu'ils aspireraient à regagner comme on touche au port.

L'état civil : les parents de Ford venaient tous deux de l'Ouest de l'Irlande (près de Galway), d'où ils avaient émigré en 1872. C'est aux Etats-Unis qu'ils firent connaissance et se marièrent en 1875. Né en 1894, « John Ford » (John Martin Feeney) est le plus jeune des six de leurs enfants qui survécurent ; sa sœur aînée avait près de dix-huit ans de plus que lui. Comme il est fréquent dans les familles d'immigrants, on peut imaginer qu'est à l'œuvre un double schéma, jusqu'à un certain point contradictoire. D'une part, on ne quitte pas le pays natal sans d'impérieuses raisons économiques, et le désir le plus cher d'un immigrant est de s'intégrer à sa nouvelle patrie (je réserve ici le cas des réfugiés politiques). Chacun sait que les « hyphenated Americans », et notamment les Irlandais, cultivent un patriotisme volontiers cocardier. Mais, d'autre part, outre que dans l'émigration irlandaise la composante politique est justement présente, l'affirmation de l'identité américaine s'accompagne souvent, chez les nouvelles générations, d'une revalorisation de l'origine ethnique, d'une volonté de redécouverte de « racines » réelles ou imaginaires susceptible de prendre une forme archaïsante assez comparable à la restitution du Moyen-Age par les romantiques (ou à la résurrection de leur propre passé « celtique » par les Irlandais au XIXe siècle). Ainsi voit-on John Ford, qui avait adopté, à la suite de son frère Francis, un nom « anglais », presque aussi passe-partout que

Smith, déclarer, une fois sa notoriété assise, qu'il s'appelle en fait Sean Aloysius O'Fearna, nom plus irlandais que nature, plus « gothique » pour ainsi dire que le prosaïque John Martin Feeney de la réalité. Il ne manquera pas non plus d'évoquer sa connaissance du gaélique, langue apprise en Irlande où il serait peut-être né et où il aurait en tout cas longuement séjourné à l'âge de onze ou douze ans : dès cette biographie digne d'Otto Rank, on trouve le mythe du *retour* à la patrie ou plutôt à une *motherland*, une terre maternelle de l'imaginaire.

C'est en 1921, à vingt-sept ans, que Ford effectue son premier voyage documenté en Irlande, dans une atmosphère de pèlerinage tout à la fois religieux, familial et politique. Il écrit à sa femme que pendant la messe, au moment même de l'élévation, « les nuages et le brouillard se levèrent et qu'à trois milles de là nous aperçûmes les rivages de notre patrie bien-aimée, "l'Ile d'Emeraude", verte et fraîche comme rosée sur le pré ». Il se rend dans l'Ouest à la recherche de la famille Feeney, arrive en pleine guerre civile et devient pour le reste de sa vie un actif sympathisant de l'IRA. Ce n'est aucunement mettre en doute l'évidente sincérité de Ford que de noter combien cet attachement, à la fois sentimental et passionné, est caractéristique des « Irish Americans », communauté chez qui le conservatisme le plus étriqué va souvent de pair avec le soutien financier de l'IRA et de sa rhétorique grossièrement marxiste.

Metteur en scène, Ford a fréquemment porté son choix sur des sujets où l'amour filial pour l'Irlande s'exprime avec une constance qui dépasse l'anecdote. A la fin du muet, *Maman de mon cœur* (*Mother Machree,* 1928) raconte l'histoire d'une famille irlandaise séparée, puis réunie aux Etats-Unis ; la même année, *La Maison du bourreau* (*Hangman's House*) est un mélodrame de vengeance qui a pour cadre un château irlandais. En 1935, Ford remporte un de ses plus grands succès critiques avec *Le Mouchard* (*The Informer*), d'après Liam O'Flaherty, qui met aux prises, dans le cadre de Dublin en 1920, l'IRA et les forces britanniques. L'année suivante, il porte à l'écran la pièce de Sean O'Casey *La Charrue et les étoiles* (*The Plough and the Stars* ; en français, le film s'intitule *Révolte à Dublin*).

Il faut rappeler que, depuis le soulèvement de Pâques 1916, l'Irlande n'a guère quitté la une de l'actualité politique. Le mythe romantique de la violence salvatrice se donne libre cours (d'autant que de Valera, héritier des nationalistes du Sinn Fein, est au pouvoir depuis 1932) et suscite précisément les réserves d'O'Casey qui, contesté en Irlande, s'exile en Angleterre. D'une curiosité alors commune pour l'Irlande témoignent une première adaptation du *Mouchard* (Angleterre, 1929) par l'Américain d'Allemagne Arthur Robison, et celle de *Junon et le paon* (*Juno and the Paycock*, d'O'Casey) par Hitchcock (Angleterre, 1930).

Au récit de Liam O'Flaherty (publié en 1925), Robison et Ford ont été l'un et l'autre infidèles, mais chacun à sa façon. Pour l'adaptateur, une des difficultés consistait à fournir une motivation crédible à des gestes noyés dans la rhétorique naturaliste d'un style poisseux. Modifiant profondément l'intrigue, Robison a recours, de manière répétée, au mobile de la jalousie amoureuse ; il est vrai que son Gypo a les traits apolliniens du Suédois Lars Hanson. Ford a pris le parti inverse, accentuant le caractère brutal et primitif du personnage de Gypo Nolan ; en revanche, il a complètement transformé le contexte politique du récit. Au lieu que l'action soit située en 1922, c'est-à-dire au lendemain de l'indépendance (comme c'est clairement le cas chez Robison), il la date de 1920, alors que Dublin est encore sous la domination anglaise, et il mue l'organisation marxiste d'O'Flaherty en IRA au nationalisme traditionnel et romantique, rassurant pour le public américain. La version de Robison vaut notamment par l'authenticité de son réalisme et par le clair-obscur délicatement nuancé d'une photographie très « allemande » (d'ailleurs signée Werner Brandes et Theodor Sparkuhl) ; celle de Ford, sur laquelle je reviendrai, par ses qualités de simplification, de stylisation expressive ; l'une et l'autre constituent d'admirables exemples d'« expressionnisme », mais en des sens nettement distincts.

Après un long intervalle, Ford revient à une Irlande pacifiée et à un sujet qui lui tenait particulièrement à cœur (il avait souhaité le réaliser dès 1937) avec *L'Homme tranquille* (*The Quiet Man*, 1952). Ce film tourné en Irlande (à la différence des précédents) est à la fois un des plus durablement populaires de son auteur, et sans doute (avec *L'Homme d'Aran* de Flaherty ?) celui qui résume, pour la plupart des cinéphiles, le lien qu'il faut bien dire épisodique entre l'Irlande et le septième art. Il est suivi en 1957 par *Quand se lève la lune* (*The Rising of the Moon*), également tourné en Irlande et réunissant trois

Quand se lève la lune

sketches, le premier d'après une nouvelle de Frank O'Connor, le troisième d'après la pièce de Lady Gregory qui donne son titre au film et qui ramène à la guerre anglo-irlandaise de 1921. « The Rising of the Moon » est une vieille ballade nationaliste qui célèbre le soulèvement de 1798 et qu'on entendait à plusieurs reprises dans *Le Mouchard* :

> A mort, les ennemis, les traîtres !
> En avant ! Marchons en chantant !
> Trois hourras pour la liberté,
> C'est de la lune le lever !

Tout à la fin de sa carrière, Ford revient à Sean O'Casey (disparu en 1964), dont il adapte l'autobiographie sous le titre du *Jeune Cassidy* (*Young Cassidy*, 1965) ; malade, il doit abandonner après deux semaines le tournage du film, que termine Jack Cardiff. Ouvrage plus appliqué qu'inspiré, malgré la présence de Julie Christie, le mou Rod Taylor n'étant guère convaincant en révolutionnaire dublinois ; on retient surtout la composition piquante de Michael Redgrave en W.B. Yeats.

Il convient d'ajouter qu'on trouve, dans les films dont l'action est située en Amérique, un nombre considérable de références à des personnages « irlandais » et à leur folklore, notamment musical. L'immigration irlandaise a profondément marqué l'Amérique depuis un siècle et demi, et il n'est nullement surprenant que de tels personnages jouent un rôle de premier plan dans des œuvres traitant des sujets aussi divers que la construction du chemin de fer transcontinental (*Le Cheval de fer*), les guerres indiennes (la trilogie sur la Cavalerie), les pratiques politiques à la Tammany Hall (*La Dernière Fanfare*) ou l'académie militaire de West Point (*Ce n'est qu'un au revoir / The Long Gray Line*). Cette célébration ethnique des Irlandais, louant leur sens du clan, leur générosité et leur débordements d'énergie vitale tout en les dépeignant comme d'incorrigibles buveurs, bagarreurs et hâbleurs, n'est pas propre à Ford et apparaît aussi chez Walsh chantant les exploits pugilistiques d'Errol Flynn *(Gentleman Jim)* ou chez Curtiz retraçant la carrière du « showman » George M. Cohan (*La Glorieuse Parade*) avec la complicité de cet « Irlandais d'Amérique » par excellence qu'était James Cagney. La musique joue ici un rôle-clé, même s'il est permis de penser que Ford l'exagère dans *Rio Grande*, où le Sud comme le Nord sont symbolisés par des airs irlandais : le sentimental « I'll Take You Home Again, Kathleen » sert de leitmotiv à l'aristocrate sudiste qu'interprète Maureen O'Hara, tandis qu'en l'honneur du général yankee Sheridan on entonne le rude chant révolutionnaire « Glory-o to the Bold Fenian Men ».

Cette identité s'incarne dans certains acteurs qui sont eux-mêmes, en principe, d'origine plus ou moins lointainement irlandaise : Cagney que je viens de citer (et que Ford dirigea dans le remake de *What Price Glory*), Walter Huston, Pat O'Brien, et, souvent associés à Ford, Victor McLaglen, J. Farrell MacDonald, Barry Fitzgerald, Ward Bond, John Wayne, Jack Pennick... A cet égard, *L'Homme tranquille* tire son efficacité de la cohérence de sa distribution : certes, Ward Bond (le curé) et même Victor McLaglen (le squire) sont dans des rôles d'emprunt, mais McLaglen a si souvent joué les sergents « irlandais » qu'on a fini par croire à cette seconde nature, et les protagonistes sont « authentiquement » dans leurs rôles — John Wayne en Américain qui retourne au pays de ses ancêtres, Maureen O'Hara en Irlandaise. En outre, ils sont épaulés par deux comparses à la saveur merveilleusement locale, deux frères dans la réalité : Barry Fitzgerald (l'entremetteur) et Arthur Shields (le pasteur).

L'argument de *L'Homme tranquille* est d'une grande simplicité, qui n'exclut pas la complexité dans la peinture psychologique. Sean Thornton revient au pays qu'il a quitté enfant ; très vite, il est attiré par Mary Kate Danaher, et ce sentiment est réciproque. Mais le couple ne se constituera de façon permanente qu'après avoir surmonté une série d'obstacles : l'hostilité initiale du frère de la belle, le rituel paresseux de fiançailles gaéliques, le refus de la femme elle-même, dont « l'homme tranquille », au pacifisme incompréhensible, n'a pas réclamé la dot à son frère. L'idée de confronter l'Irlande réelle ou profonde à l'image plus ou moins mythique qu'en a l'Amérique n'est pas neuve. C'est ainsi que dès les « châteaux en Irlande » de *Castles for Two* (Frank Reicher, 1917), on trouve face à face, parmi des personnages de pure convention folklorique (elfes en surimpression, souillon, enfants dépenaillés, adultes ivrognes et bagarreurs), un nobliau appauvri et la riche Américaine qu'il courtise : même situation en somme que dans *L'Homme tranquille*, les rôles étant inversés.

Un air de *reel* : *L'Homme tranquille*

Comme il le fera dans *L'Aigle vole au soleil*, Ford joue à merveille du contraste entre le physique athlétique de John Wayne et l'impuissance où il est réduit (ici par sa décision de ne pas se battre). D'autre part, il rend crédible la frustration sexuelle qui, derrière la farce et le pittoresque, constitue le fond de l'intrigue. C'est qu'il dispose, en Maureen O'Hara, d'une actrice dotée non seulement d'une grande beauté, mais aussi d'une sexualité à la fois tempêtueuse et parfaitement « saine ». Il est vrai que Mary Kate apparaît d'abord en bergère parmi ses moutons, dans une nature qu'on dirait peinte par un préraphaélite ; mais dès ce tableau idylliquement pastoral, le flamboiement de la chevelure rousse et de la jupe rouge dénote l'aptitude à la passion. Lorsque Sean et la jeune femme se rencontrent dans la chaumière qu'elle vient de nettoyer pour lui, leur proximité suffit à libérer les forces de la nature. Soufflant soudain en bourrasque, le vent fait flotter tels des oriflammes les rideaux du cottage, en harmonie avec Mary Kate échevelée, et pousse les amants, comme malgré eux mais par un mouvement irrésistible, dans les bras l'un de l'autre. Dans le cimetière hérissé de croix celtiques, l'étreinte de Sean et de Mary Kate déchaîne la tempête, zébrant d'éclairs les ruines gothiques. Ils s'embrassent sous la pluie qui les inonde et qui, moulant leurs vêtements sur leurs corps comme une « peau » sensuelle, fait pratiquement de cet enlacement, ainsi que l'ont bien noté McBride et Wilmington, « une scène de nudité ».

Par ce biais inattendu se dessine une parenté entre le Connemara et les îles du Pacifique que l'on voit chez Murnau (*Tabou*) et chez Ford lui-même (*Hurricane*, *La Taverne de l'Irlandais / Donovan's Reef*) : ce sont des lieux dont le caractère « primitif » permet l'expression libre et simultanée des forces de la nature (tempête, éruption volcanique) et des passions humaines, des lieux privilégiés de la sexualité. Est-il besoin d'ajouter que, quel que soit l'« encadrement » chrétien parfois contraignant que subissent les populations gaéliques ou polynésiennes, ces forces qui préexistent au christianisme restent sous-jacentes et susceptibles de se réveiller à tout instant ? La métaphore de l'eau lustrale est partout ici en évidence : dans les ébats des jeunes gens sous la cascade de *Tabou*, mais aussi, dans *La Taverne de l'Irlandais*, dans une scène qu'on aurait tort de croire purement burlesque ou même satirique, celle de l'arrivée d'Amelia Denham tombant de son bateau, puis traînée jusqu'au

Le catholicisme en Polynésie : *Hurricane*

rivage par Donovan (John Wayne). Se manifestent ici le goût du slapstick, une dose foncière de sexisme, la satire de Boston, mais aussi la célébration de l'eau qui, comme la pluie de *L'Homme tranquille*, « dénude » le corps, réaffirme la sexualité naturelle de la femme, et, tout en la ridiculisant *en tant que Bostonienne,* lui restitue néanmoins, *en tant que femme*, le caractère divin d'une Vénus anadyomène. L'étreinte de John Wayne et de Maureen O'Hara dans le cimetière est pareillement celle de deux « demi-dieux » ; et même si, contrairement à ce que croit Michaeleen Og Flynn, le lit matrimonial n'a pas été brisé par l'ardeur des assauts amoureux qui y furent livrés, l'épithète « homérique » s'applique en effet de façon aussi appropriée aux enlacements entre les sexes et au combat épique des « géants » Sean Thornton et Red Will Danaher.

Bienheureuse Irlande de l'Ouest, lieu autobiographique pour « Sean » Ford (la famille Finney avait même des cousins du nom de Thornton), bien éloigné pourtant des conflits qui agitent *Le Mouchard* et *Révolte à Dublin* ! Irlande rurale des conteurs, petit théâtre (chacun salue à la fin) où les soldats de l'IRA sont des conspirateurs de mélodrame, où le curé ne harcèle que le saumon, où, l'espace d'une visite épiscopale, les catholiques font mine d'être d'ardents protestants, afin de retenir un pasteur privé d'ouailles dans leur commun paradis sur terre. Irlande préchrétienne assurément, à la fois héroïque (« homérique ») et magique. L'annonce du pugilat tant différé entre Thornton et Danaher ressuscite le mourant que joue Francis Ford. Quant à la poursuite de Mary Kate par Thornton qui la ramène en la tirant, voire en la traînant sans ménagement à travers prés et ruisseau, elle est ponctuée par la mélodie qu'a fredonnée Michaeleen Og Flynn : l'air de *reel*, de branle, a mis en branle le dernier acte d'une aventure déclenchée et contrôlée de bout en bout par ce personnage fée, marieur et metteur en scène.

S'il est permis de voir dans *Rio Grande* une sorte de brouillon de *L'Homme tranquille* pour ce qui est des rapports entre John Wayne et Maureen O'Hara, si certaines de leurs scènes de slapstick amoureux seront répétées dans l'ouverture de *L'Aigle vole au soleil* ainsi bien sûr que dans *La Taverne de l'Irlandais* (Elizabeth Allen remplaçant dans ce dernier film Maureen O'Hara), c'est pourtant d'abord à *Qu'elle était verte ma vallée* qu'il convient de comparer *L'Homme tranquille*. Certes, *How Green Was My Valley* est situé au pays de Galles, non en Irlande (le vert du titre induit parfois en erreur...), mais il s'agit dans les deux cas de franges celtiques, et quatre des interprètes de *How Green* sont en réalité, ou dans la réalité, irlandais. Maureen O'Hara est Angharad, passionnée et ombrageuse, dont le vent agite, à la sortie de la chapelle, le voile nuptial. Sara Allgood, du théâtre national de l'Abbey, est sa mère. Barry Fitzgerald compose un arbitre de boxe soucieux de faire respecter « les règles du marquis de Queensberry » qui préfigure son personnage de Michaeleen ; son frère Arthur Shields joue déjà un pasteur. Là s'arrête la ressemblance : pour l'essentiel, les deux films s'opposent terme à terme. (Il n'est pas indifférent que Richard Llewellyn, l'auteur de *Qu'elle était verte ma vallée*, ait adapté la nouvelle de Maurice Walsh « L'Homme tranquille ».)

Attendant vainement que se déclare celui qu'elle aime, Angharad en épouse un autre, devient prisonnière de sa richesse et de son rôle de châtelaine. Loin d'être l'affable pasteur anglican

John Wayne et Maureen O'Hara dans *Rio Grande* : « I'll Take You Home Again, Kathleen »

auquel les paroissiens catholiques eux-mêmes sont attachés, Shields a le visage tordu par la haine ; il dénonce, au nom d'un puritanisme fanatique et borné, étranger à toute charité chrétienne, la fille mère et la femme adultère. Quant à Fitzgerald, certes pittoresque et bienveillant, il ne joue qu'un rôle épisodique, mettant quelques notes salutairement comiques dans une œuvre à la tonalité sombre. L'intrigue de *Qu'elle était verte ma vallée* détaille en effet une succession d'exils, vers les Etats-Unis, vers le Canada, vers la Nouvelle-Zélande, vers la mort et la mort-dans-la-vie, tandis que celle de *L'Homme tranquille* se résume au retour au pays natal, à la terre magique de l'enfance. Brisé dans *How Green*, comme l'indique le passé du titre, le rêve pastoral se réalise dans *The Quiet Man*.

Il se réalise aussi dans *Donovan's Reef*, ce « récif de Donovan » que les distributeurs français ont été — une fois n'est pas coutume — bien inspirés de traduire *La Taverne de l'Irlandais* (1963). Dès la sortie du film, chacun fut sensible à sa ressemblance (sans doute concertée) avec *L'Homme tranquille* : il s'agissait d'une nouvelle variation sur le thème de *La Mégère apprivoisée*, John Wayne retrouvant son rôle de naguère face à Elizabeth Allen substituée à Maureen O'Hara en femme énergique qu'il faut mater, traîner à terre, fesser... Thème « éternel », mais singulièrement daté par son antiféminisme (la scène de la fessée est, avec celle de Martin Pawley éloignant son épouse indienne d'un coup de pied, dans *La Prisonnière du désert*, l'une des plus choquantes qu'on rencontre chez Ford). D'ailleurs la comparaison ne fut pas toujours à l'avantage de *La Taverne*, et pour Lindsay Anderson « Haleakaloa est loin, tristement loin d'Innisfree ».

Les reprises délibérées de ce que j'ai proposé d'appeler « slapstick amoureux » ne doivent pas dissimuler certaines différences profondes dans la situation. On peut considérer, même s'il n'est évidemment pas un indigène, que Donovan (John Wayne) est sur ses terres, sur « son » île ; en revanche, Amelia Denham, venue enquêter non sur ses origines mais tout de même sur son père, est l'étrangère, l'intruse. On note donc, par rapport à *L'Homme tranquille*, un renversement des rôles (l'homme est le maître des lieux) qui aggrave la schématisation antiféministe : tandis que, dans *The Quiet Man*, la force de l'homme équilibre en définitive le poids de la tradition locale (à laquelle la femme est liée), on voit mal ce que, dans *La Taverne de l'Irlandais*, Donovan pourrait apprendre d'Amelia. C'est, à mon sens, cette supériorité excessive du personnage interprété par John Wayne qui explique, autant que le tempérament moins flamboyant d'Elizabeth Allen, la relative infériorité, à cet égard, de *Donovan's Reef*. Star dominatrice, John Wayne n'a pas su faire la part belle à sa jeune partenaire.

Par contre, la différence du cadre n'est pas si grande qu'il pourrait sembler. D'une part, la Polynésie, comme les franges celtiques, mais de manière plus accentuée, donne l'exemple d'un syncrétisme ou si l'on préfère de strates successives qui permettent aux dieux, aux rites et aux rois ancestraux, bref à la *coutume*, de continuer à régner en profondeur sous la mince couche de catholicisme et d'administration coloniale (française, en l'occurrence). La conduite magique qui veut qu'on touche la robe de mariée de Bronwyn (dans *Qu'elle était verte ma vallée*) est exactement symétrique du « tabou » polynésien. D'autre part, *La Taverne de l'Irlandais* est, à l'instar de *L'Homme tranquille*, un film de plein air, lumineux et chatoyant — ce qui est, somme toute, très inhabituel chez Ford. Je

Mogambo : un film de vacances

serais assez tenté d'en rapprocher *Mogambo* (1953), qui a des allures de film de vacances, en quelque sorte le *Hatari !* de Ford, avec Clark Gable dans le rôle de John Wayne. Cependant, à la différence de *L'Homme tranquille* et de *La Taverne de l'Irlandais*, *Mogambo* fonctionne selon le schéma dramatique du triangle.

Le « grand chasseur blanc » que joue Gable traque en effet deux proies : la félinement brune Ava Gardner, à la sensualité franche, presque familière, et Grace Kelly, dans son rôle habituel de WASP (ici, elle est censée être anglaise) à la sexualité refoulée, mais qui brûle de s'éveiller au toucher de son Pygmalion (ce qui se produira dans la scène où il lui arrache le foulard qu'elle porte sur la tête pour le lui nouer autour du cou).

Le cadre africain, avec son exotisme « primitif », est utilisé de façon métaphorique et non seulement décorative. L'accent est mis avec insistance sur l'animalité des personnages (Ava Gardner, assimilée à une panthère, comparera Clark Gable tantôt à un fauve, tantôt à un éléphant) et le safari (à la recherche des gorilles) se double d'une quête anthropologique (à la recherche du mystère de l'homme). Le recours à un tel environnement, de nature à faciliter l'élan d'énergiques passions sexuelles mais aussi mentales, est, dans une certaine mesure, traditionnel (*Mogambo* est un remake de *La Belle de Saigon* /*Red Dust*, de Victor Fleming, déjà avec Clark Gable).

Mais ce qui m'intéresse ici est surtout le personnage qu'interprète Ava Gardner. Elle s'appelle « Kelly », Irlandaise de New York, de mœurs libres, avec quelque chose d'une garçonne (presque inhérent à Ava Gardner, le caractère est accentué par l'absence de prénom). Irlandaise, elle s'oppose donc ethniquement à Linda (Grace... Kelly), qui est anglaise / anglo-saxone / WASP, tout comme à Boston les Donovan s'opposent aux Denham. Elle est, telle Ann Rutledge dans *Vers sa destinée*, associée au lent symbolisme du fleuve. Sa couleur est le jaune, qui dénote ici non pas, comme le croit Gallagher, la lâcheté, mais bien plutôt, me semble-t-il, l'épanouissement d'une sensualité sainement solaire. « Kelly » satisfait, dans cette Afrique équatoriale, un désir inassouvi de retour au pays, d'Irlande pastorale. Le bateau qui devait l'emmener coule. Elle revient : elle a trouvé son Innisfree.

5. ERRANCES

Les Raisins de la colère, Les Cheyennes, Le Convoi des braves, Le Fils du désert, Frontière chinoise, Le Sergent noir

A la « patrie » irlandaise s'oppose l'errance du personnage fordien. Jacques Goimard a bien vu combien le thème du déracinement obsède Ford : « Tous ses personnages sans exception sont des déracinés qui cherchent éternellement le port ». Dans *La Prisonnière du désert* et dans *Les Deux Cavaliers*, les enlèvements d'enfants produisent des hybrides qui « errent » symboliquement d'une culture à l'autre. Errants aussi, ceux qui cherchent à récupérer ces enfants, Ethan Edwards dans *La Prisonnière du désert* (« The Searchers »), Guthrie McCabe dans *Les Deux Cavaliers*, à la fois parce qu'ils parcourent l'Ouest en tout sens et surtout parce qu'ils semblent privés de boussole morale, oscillent de la façon la plus « erratique » qui soit entre la tendresse et l'impitié, entre le cynisme et la générosité.

Le phénomène est d'autant plus frappant qu'il affecte des groupes, familles ou communautés ethniques entières. Dans *Le Long Voyage*, d'après Eugene O'Neill, l'équipage du Glencairn parle sans cesse de revenir à terre, mais semble condamné à poursuivre son errance (*The Long Voyage Home*, 1940). On pourrait aussi rappeler la Patrouille perdue dans les sables ; mais à vrai dire il s'agit là de films statiques, où l'errance se fait enlisement. D'autres montrent au contraire leurs groupes humains marchant inlassablement vers le but qu'ils se sont fixé. A cet égard, la ressemblance est saisissante entre la famille Joad des *Raisins de la colère* et les Indiens de *Cheyenne Autumn*. Toutes générations mêlées, vieillards, malades, enfants, leurs dérisoires mais vitales possessions entassées sur une guimbarde ou sur des traîneaux, les Okies et les Cheyennes entreprennent, contre tous les obstacles que leur opposent l'homme et la nature, leur migration.

Sans doute ces migrations paraissent-elles s'effectuer en sens opposé : expulsés de leur terre, les Joad sont contraints de quitter ce qui était leur pays depuis des générations, tandis que les Cheyennes, échappés de leur réserve, se sont mis en tête de regagner une patrie ancestrale abandonnée de longue date. Mais la différence est plus apparente que réelle. La terre des Joad, retournée au désert, est devenue inhabitable sauf par le fou Muley (John Qualen), qui mène la vie nocturne d'un rongeur. Quitter l'Oklahoma est une tragédie et un arrachement, mais les Joad, en se dirigeant vers la Californie, sont persuadés de gagner la Terre promise, le « pays du lait et du miel » dont parle la Bible. Quant aux Cheyennes, ce sont les mauvais traitements qu'ils subissent qui les forcent à leur exode. Le parallèle avec les Hébreux de l'Ancien Testament, explicite dès *Les Raisins de la colère*, est donc encore plus justifié pour les Cheyennes : la Cavalerie américaine qui les poursuit pour les ramener à l'esclavage de leur réserve joue précisément le rôle de l'armée de Pharaon lancée, dans le livre de l'Exode, aux trousses de Moïse et des Hébreux.

Dans *Les Raisins de la colère* (*The Grapes of Wrath*, 1940), les possédants et leurs milices s'opposent emblématiquement, iconiquement, au « peuple », tels les Egyptiens aux Hébreux. « Je ne sais vraiment pas qui est responsable », affirme l'homme qui annonce son éviction à Muley, blâmant tour à tour, jusqu'à diluer toute responsabilité, la compagnie propriétaire du terrain, la banque de Tulsa, l'establishment financier de la côte Est — mais l'icône cinématographique, la Rolls-Royce qu'il conduit et le cigare qu'il a à la bouche, dément cette sollicitude, désigne le personnage comme un Egyptien, un auxiliaire de Pharaon. Inversement, Tom Joad (Henry Fonda) est assimilé à Moïse lorsque, après s'être interposé une première fois entre les gens du camp et le shérif, il tue un des agresseurs de Casey (John Carradine), répétant le geste de Moïse tuant le contremaître égyptien pour protéger l'esclave hébreu. Dans la Bible, cet épisode exprime l'éveil de la conscience juive de Moïse ; de même, chez Ford, il correspond au moment où les yeux de Tom Joad se dessillent et où il conclut que Casey, l'ancien prédicateur devenu militant syndical, avait raison : c'est de haute lutte que se gagne la Terre promise. De formation religieuse, Casey joue en quelque sorte, aux côtés de Tom qu'il conseille, le rôle d'Aaron dans la Bible. D'autres allusions bibliques émaillent *Les Raisins de la colère*, à commencer (procédé fréquent dans la littérature et le cinéma américains) par leur titre. On verra en outre que Ma (Jane Darwell) est elle aussi

L'errance des Okies *(Les Raisins de la colère)*

associée à une iconographie traditionnelle, chrétienne en l'occurrence.

Dans *Les Cheyennes* (*Cheyenne Autumn*, 1964), une autre « parabole » invite, de l'intérieur du film, à méditer sur son sens. Au capitaine de cavalerie qu'interprète Richard Widmark, son fidèle « serviteur » le sergent Wichowsky (Mike Mazurki) annonce son intention de ne pas se rengager, car il a le sentiment de jouer le rôle des Cosaques dans son pays. Ce sont, explique-t-il, des hommes coiffés d'une toque de fourrure et armés d'un sabre, qui tuent les Polonais pour la seule raison qu'ils sont polonais. La déclaration paraît à bon droit excessivement didactique et constitue un des éléments qui gênent dans une œuvre pavée de bonnes intentions, dont le manichéisme semble parfois renverser terme à terme les oppositions de westerns antérieurs ; elle acquerra pourtant une indéniable résonance lorsque surgiront, coiffés de leurs chapskas, les fantassins de Wessels (Karl Malden). Peu importent dès lors les détails de l'intrigue et du dialogue, qui nous montrent d'abord Wessels comme un officier intelligent, curieux des mœurs indiennes et lecteur de Fenimore Cooper : nous savons, par un raccourci visuel irréfragable, que ses hommes sont des Cosaques.

Dans les deux films, la mère (Ma Joad : Jane Darwell ; « Spanish Woman » : Dolores Del Rio) joue un rôle-clé ; ce « cœur » de la famille dont le père est la « tête », comme il est expliqué dans *Qu'elle était verte ma vallée*, est obsédé par la nécessité de maintenir l'unité sans cesse menacée du groupe. Dans *Les Raisins de la colère*, le tracteur qui, au service des « Egyptiens », détruit la ferme de Muley, est conduit par le fils d'un voisin : il faut bien vivre ; certains des opprimés collaborent avec l'oppresseur. La famille Joad elle-même n'est pas épargnée. Connie, le mari de Rosasharn enceinte, l'abandonne. Dès lors Ma, observant pour le déplorer que « la famille n'est plus unie », conjure en vain Tom de garder son calme : demeurer auprès des siens le condamnerait à la résignation et à l'asservissement. Après qu'il a tué le shérif, Ma constate : « nous étions une famille, unie et claire » ; mais maintenant « on n'est plus unis, Tom, on n'est plus une famille ».

Et en effet la fin du film — du moins celle tournée par Ford — montre la séparation de Ma et de Tom dont la silhouette minuscule disparaît à l'horizon. Mais cette fin qui consacre la rupture de la famille et d'une relation mère - fils donnée comme fondamentale ici comme dans *Qu'elle était verte ma vallée*, se veut aussi une ouverture sur la grande famille de l'humanité, sur la nécessaire solidarité du « peuple », sur l'engagement dans les luttes sociales à la suite de Casey. Ajoutée à ce qui précède, la fin tournée par le producteur, Zanuck, nuance assurément l'implication d'engagement, mais sans la contredire ; elle a d'ailleurs été expressément acceptée par Ford. Au lieu de conclure sur le départ de Tom (c'est-à-dire sur la détermination « révolutionnaire » à aller de l'avant), on nous indique que les Joad ont trouvé du travail, on nous montre reconstitué un embryon de famille « traditionnelle » (Pa et Ma), on termine sur Ma (symbole de cohésion et de résignation) mais en lui prêtant des paroles quasi révolutionnaires, qui s'efforcent d'effectuer la synthèse entre le point de vue de Casey et de Tom et celui de Ma elle-même : « Nous continuerons toujours, parce que nous sommes le peuple ».

Affaiblis par le froid, la faim, la maladie, les Cheyennes, eux aussi, se séparent : un groupe accepte de se rendre dans le fort tenu par Wessels, l'autre poursuit sa marche vers la grotte de la

Victoire. Ils s'y réuniront en définitive, le premier groupe ayant été contraint, une nouvelle fois, d'échapper à l'esclavage. Une fin heureuse les verra réconciliés, ayant effectivement retrouvé la terre de leurs ancêtres, cadre idyllique d'eau et de végétation, où une fillette apprend à épeler H-O-M-E = HOME. Je ne m'attarderai pas sur les ambiguïtés de ce happy ending, qu'il s'agisse de son caractère peu crédible (seule l'intervention du ministre Carl Schurz / Edward G. Robinson en *deus ex machina* prévient un probable massacre des Cheyennes survivants) ou plus profondément de la volonté insidieuse (inconsciente ?) d'assimilation qu'atteste le fait d'épeler HOME en anglais. Je me bornerai ici à constater que, grâce à une intrigue secondaire qui court pendant tout le film, le personnage qui, par son ardeur à se battre et par sa jeunesse, correspondrait à peu près à Casey mais aussi à Tom, est exclu de ces retrouvailles : « Red Shirt » (Sal Mineo) est tué en combat singulier par le chef dont il a séduit la jeune épouse. Sa mère (« Spanish Woman ») couvre alors son corps de son manteau rouge vif. Ayant versé le sang indien, le chef lui-même doit s'éloigner. Ainsi les Cheyennes paraissent-ils, par leur obstination et leur bravoure, avoir obtenu gain de cause ; mais ils ont perdu leurs éléments les plus combatifs et leur destin, à terme, ne saurait être que celui d'un peuple soumis, assimilé.

Dans les deux films, l'identification avec les personnages fait problème. C'est évident pour les Cheyennes. Lindsay Anderson a relevé la contradiction qu'il y avait à raconter l'histoire de leur point de vue tout en les traitant comme un chœur antique. Sont-ils les protagonistes, ou simplement les témoins d'un drame qui se jouerait entre le capitaine Archer (Widmark) et ses supérieurs ? L'hésitation aboutit à un compromis, nouvelle source de contradiction : on exprimera le point de vue indien, mais sans déroger à la pratique hollywoodienne, c'est-à-dire que les Cheyennes parleront anglais, et surtout seront interprétés par des acteurs connus, habitués des rôles « exotiques », mais qui ne sont nullement indiens : Ricardo Montalban, Gilbert Roland, Sal Mineo, Victor Jory... En même temps, il reste quelque chose d'une conception qui aurait exigé que les Cheyennes parlent leur propre langue et que leur histoire nous soit racontée par le truchement de narrateurs qui seraient aussi traducteurs et médiateurs entre les Indiens et nous. Ces rôles sont dévolus à « Spanish Woman » (Dolores Del Rio) — dans les westerns de Ford, Espagnols et Mexicains semblent toujours constituer un groupe ethnique et linguistique intermédiaire entre les Blancs et les Indiens — à l'institutrice quaker (Carroll Baker), et surtout bien sûr au capitaine Archer (Widmark).

Apparentes dans le cas des *Cheyennes*, contradictions et ambiguïtés ne sont pas absentes des *Raisins de la colère* : selon la juste remarque de Tag Gallagher, nous vibrons pour les Joad, avec lesquels nous n'avons rien de commun, tandis que les personnages contre lesquels nous nous indignons appartiennent en fait à notre propre groupe social. En ce sens aussi, les Joad ressemblent aux Cheyennes : ce sont de Bons Sauvages. Il faudrait rouvrir ici le débat sur l'esthétisme de la photo très « expressionniste » de Gregg Toland. Je note cependant que tout en « idéalisant » les Okies, Ford ne se départit pas de son humour. Ainsi, au début du film, Tom, qui vient de passer trois ans en prison, retrouve les siens. Est-il en cavale, ou en liberté conditionnelle ? Tous sans exception, convaincus qu'il s'est échappé, sont peut-être déçus et en tout cas surpris qu'il leur réponde : « Non — Liberté conditionnelle ». La scène évoque pour moi *La vie est un long fleuve tranquille*, de Chatiliez : il y a, chez les Joad, un côté « Groseille ».

Je reviens au parallèle biblique. Le rapprochement des Indiens avec les Hébreux de l'Ancien Testament est traditionnel. Comme l'a bien montré George Dekker dans son *American Historical Romance*, les théories « stadialistes » des philosophes écossais invitaient à voir dans les Indiens d'Amérique des peuples soit « sauvages » (vivant de la chasse et de la pêche), soit « barbares », c'est-à-dire parvenus au même degré de développement pastoral que les Hébreux de l'Ancien Testament ou les Grecs de l'époque homérique (ce stade pastoral étant le deuxième dans un cycle quaternaire). Fenimore Cooper use et abuse du parallèle. Mais simultanément ce sont les colons défricheurs qui sont assimilés aux Hébreux de la Terre promise : les Américains sont le nouveau peuple élu de Dieu. Ce mythe fondateur n'est pas inconnu de Ford. Ainsi dans l'ouverture des *Mohawks* : la mère de l'héroïne est éplorée parce que sa fille épouse un pionnier qui l'arrache à tous les raffinements du XVIIIe siècle pour lui faire partager la rude vie de la Frontière. Le pasteur qui vient célébrer la cérémonie la console en ces termes : « Il en est ainsi depuis les temps bibliques ». Sur la Frontière, le parallèle sera poursuivi par un autre pasteur. Interprété, comme dans *Qu'elle était verte ma vallée*, par Arthur Shields, il s'agit d'un de ces prédicateurs puritains, à l'éloquence fulminante, mais son rôle est ici positif : il insuffle aux assiégés la détermination de se battre en évoquant Samson luttant contre les Philistins.

Le mythe se trouve encore, sous une forme très pure, dans *Le Convoi des braves* (*Wagon Master*, 1950) : un groupe de Mormons, avec leurs chariots, sont en marche vers l'Ouest, vers la vallée fertile « qui leur a été assignée par le Seigneur » et qui leur apparaîtra, édénique, au clair de lune. On reconnaît parmi eux Russell Simpson, qui jouait le rôle de Pa Joad, et surtout Jane Darwell (Ma Joad) en « Sœur Ledeyard » soufflant de la trompe, une corne de bovidé, vivante et sonore image évoquant le temps biblique de la pastorale ou de la *bucolique*. Notons que Ford, en dépeignant les Mormons comme des héros tolérants et pacifiques, à la foi religieuse et à l'humanité également profondes, rompt avec la tradition qui voit en eux les citoyens fanatiques, doublés de maniaques sexuels, d'une Utopie protofasciste (*A Mormon Maid* de Robert Z. Leonard, 1917).

Le Convoi des braves combine le mythe de la traversée du désert et de la Terre promise avec le respect du réalisme historique : l'action est précisément située un siècle plus tôt, en 1849, et Ben Johnson et Harry Carey, Jr., qui acceptent de servir de guides aux Mormons, sont certes des « envoyés du Seigneur » — des anges, en quelque sorte, mais aussi (et d'abord) des cow-boys, marchands de chevaux et jolis cœurs. En revanche, *Le Fils du désert* (*Three Godfathers*, 1948), sans rompre avec le genre western, bascule peu à peu vers le récit mythologique ou la parabole. Les trois « parrains » du titre original, trois hors-la-loi, au milieu de leur traversée du désert, assistent à la naissance quasi miraculeuse d'un enfant qu'ils vont protéger, revivant ainsi l'histoire de la Nativité du Christ et de l'Epiphanie. Ils croisent la piste des Mormons — de ceux-là même qui se considèrent comme la « treizième tribu d'Israël » et seront les héros du *Convoi des braves* — dans une région dont les villes ont pour nom Damascus (Damas), Cairo (Le Caire), New Jerusalem : l'Ouest américain restitue le Moyen-Orient des temps bibliques. La main de Dieu guide les rois mages : s'ouvrant par hasard sur un verset de saint Luc, elle les invite à prendre le chemin de « Jérusalem ». L'Evangile, mais aussi l'Ancien Testament, sont mis à contribution.

Abilene Kid (Harry Carey, Jr.) cite le psaume 137 : « Si je t'oublie, ô Jérusalem » ; ce sont les paroles mêmes que Faulkner voulait donner comme titre à ses *Palmiers sauvages*.

Conformément à la tradition, les rois mages, dans *Le Fils du désert*, représentent les ethnies des différentes parties du monde connu : aux côtés du WASP Robert Marmaduke Sangster Hightower (John Wayne), « Abilene Kid » Kearney est irlandais, Pedro Roca Fuerte (Pedro Armendariz) mexicain. Les personnages reparaissent sous un aspect burlesque mais qui garde un fond indéracinable de mythologie, lors de la célébration de Noël de *Donovan's Reef* : coiffé d'une couronne d'herbes aquatiques, le sergent (Mike Mazurki) figure le « roi de Polynésie », le secrétaire chinois du gouverneur est « l'empereur de Chine », et « Boats » Gilhooley (Lee Marvin), ceint d'une couronne dorée et portant un phonographe, le « roi des Etats-Unis d'Amérique ».

Les motifs bibliques sont susceptibles de s'opposer en profondeur à une religion formaliste. Il en est ainsi dans le dernier film de Ford, *Frontière chinoise (7 Women,* 1965), qui met en scène des missionnaires protestants, pendant les années trente. Les protagonistes utilisent la Bible de manière soit ridicule et inefficace (Pether / Eddie Albert la déclame devant des enfants chinois qui ne comprennent pas un mot d'anglais), soit véhémente et peu évangélique : lesbienne refoulée, Miss Andrews (Margaret Leighton) lance contre le docteur Cartwright, femme « libérée » (Anne Bancroft), de véritables imprécations, la traitant de « femme écarlate, putain de Babylone ». A ce christianisme dévoyé, *Frontière chinoise* oppose précisément le personnage du docteur Cartwright. Elle incarne les authentiques valeurs « bibliques », qu'il s'agisse de la charité chrétienne (dont sa fidélité au serment d'Hippocrate constitue une variante « laïque ») ou de la bravoure des héroïnes juives de l'Ancien Testament. Pour sauver ses compagnes, elle accepte de devenir la favorite du chef mongol qui les garde prisonnières, puis le tue, répétant le geste de Judith sous la tente d'Holopherne. (Je n'oublie pas qu'à la différence de Judith, elle se suicide ensuite. Le geste est réprouvé par le christianisme, mais non par l'antiquité stoïque, ni par l'Extrême-Orient, ni par l'Ancien Testament : qu'on songe à Abimelek ou Saül.)

L'iconographie chrétienne fournit à Ford un riche répertoire de compositions dont la reprise confère à la scène filmée un symbolisme religieux soit explicite, soit diffus. Je me bornerai à quelques exemples. Dans *Le Mouchard,* Gypo est expressément assimilé à Judas. Comme j'en ai souvent fait la remarque, le langage, même implicite, renforce la clarté de la métaphore visuelle (et sonore, en l'occurrence). Ainsi, pendant la veillée mortuaire de l'homme qu'il a dénoncé, il laisse tomber quatre pièces de monnaie, écho des « trente pièces d'argent » que reçut Judas. L'imitation du « modèle » biblique (Matthieu 27, 3-5, cité dans l'épigraphe du film) fonctionne d'autant mieux que l'anglais désigne métonymiquement la monnaie comme métal, distinguant le vil « copper » du plus précieux « silver » qu'a empoché Gypo.

La prostituée Katie renvoie, quant à elle, à Marie-Madeleine. Mais les images qui la réunissent à Gypo et la dépeignent posant la main, avec compassion, sur la tête de l'homme prostré ou allongé, brouillent, ou plutôt déplacent l'allégorie : Katie devient maternelle, et Gypo se mue en figure christique. Le motif visuel est en effet inspiré de la Pietà. Cela est confirmé à la fin du film, lorsque Gypo s'avance, les bras levés (comme « en croix ») en s'adressant au Christ en croix : confusément, Judas est à son tour devenu un Christ, une victime expiatoire. *Qu'elle était verte ma vallée* montre une même aptitude à combiner les images familières du christianisme : lorsqu'on remonte de la mine le corps de Gwilym Morgan (Donald Crisp), le plan juxtapose le motif de la Pietà (Huw Morgan tient embrassé le corps allongé de son père) et celui de la Crucifixion (Mr. Gruffydd, les bras en croix, domine le groupe précédent). Parmi les multiples implications de ce collage, on notera le rapprochement des deux figures paternelles (le père, le pasteur/précepteur), mais aussi leur opposition fondamentale : l'attitude de repos de Morgan dans la mort contraste avec l'aspect torturé de Gruffydd, qui exprime parfaitement l'impuissance teintée de masochisme du personnage. Signalons enfin, pour revenir aux *Raisins de la colère*, que la scène où Ma nourrit les enfants des autres aussi bien que les siens propres reprend un *topos* de la peinture classique : la Charité, thème de prédilection de Jacques Blanchard, à comparer aux Saintes familles « aux dix figures » ou « à la baignoire » de Poussin (le lien entre les deux motifs est confirmé par *Le Repos de la Sainte Famille* de Gentileschi, au musée du Louvre, où la Vierge allaite l'enfant).

Le christianisme est aussi une idéologie. Pris à la lettre, l'Evangile invite, avec insistance, à renverser, en droit sinon en fait, les hiérarchies sociales traditionnelles. Dans *Wagon Master*, le shérif soupçonne également tous les membres du convoi, les nomades se situant, à ses yeux, en marge de la loi : les Clegg (les seuls qui sont en effet « mauvais »), les deux cow-boys, les Mormons qu'il fait décamper, les comédiens ambulants qu'il a chassés de la ville. Dans *Le Fils du désert,* les protagonistes répètent la fable des rois mages, mais aussi celle du bon larron. Le lien entre le christianisme et la conscience sociale de Ford est patent dans *Vers sa destinée* et dans *Le soleil brille pour tout le monde* : le jeune Lincoln comme le juge Priest sauvent un innocent du lynchage ; ces deux héros appuient leur action sur l'Evangile. Lincoln cite un extrait des « Béatitudes » (manifeste de cette révolution copernicienne que proposait la morale chrétienne) et le juge Priest l'épisode de la femme adultère.

D'aucuns souligneront, dans l'inspiration chrétienne de cet engagement plus social que politique, ce qui en constitue aussi la limite. Cette qualité de compassion, cette sensibilité, naturelle et dépourvue de condescendance, pour tout ce que l'Amérique compte de marginaux, de déclassés, de faibles ou de minorités, est pourtant chez Ford une constante, qui équilibre, complète et corrige son goût de l'héroïsme et de l'épopée. Loin d'être purement théorique, l'engagement de Ford a d'ailleurs montré sa capacité à évoluer. On le vérifie en comparant les attitudes également mais différemment antiracistes du *Soleil brille pour tout le monde* (1953 ; remake d'un film de 1934) et du *Sergent noir* (1960). Dans *Le soleil*, l'antiracisme caractérise sans conteste l'action du héros, mais la psychologie relève d'une attitude sudiste traditionnelle qui n'est pas exempte de paternalisme ; je reviendrai sur ce film admirable, l'un des plus personnels et des plus libres de Ford.

En revanche, dans *Le Sergent noir (Sergeant Rutledge),* Ford, renouant avec le cycle de la Cavalerie, utilise les conventions du genre pour faire passer un message didactique, mais la démonstration est impeccable et impressionnante. L'action a pour cadre Monument Valley, un cadre véritablement sublime, que Ford ne filmera plus jamais avec la même intensité lyrique (comme l'a noté Lindsay Anderson) ; pour protagonistes, les soldats noirs du 9e Régiment de Cavalerie ; pour prétexte,

Tournage du *Sergent noir* : Constance Towers, Jeffrey Hunter, John Ford, Bert Glennon

l'accusation de viol et de meurtre qui pèse sur le sergent Rutledge. Les extérieurs ont une vraie beauté, une vraie puissance. C'est là, sur fond de sable presque rouge, que s'affirme la liberté des cavaliers noirs, tandis que les scènes d'intérieur (le procès) les soumettent à l'esclavage des préjugés racistes. A la silhouette ployée et aux intonations gémissantes de Stepin Fetchit, serviteur du juge Priest, succède, dans le rôle de Rutledge, Woody Strode, taillé en géant, lucide, rationnel, héroïsé au clair de lune par sa pose statuesque et par le chant que ses compagnons lui dédient en l'assimilant au « Capitaine Bison », personnage de légende pareil à Paul Bunyan et « plus haut qu'un séquoia ». Cette héroïsation rejaillit sur l'ensemble des cavaliers noirs, surnommés « soldats-bisons » par les Indiens, à cause de la couleur de leur peau et des manteaux qu'ils portent l'hiver.

A Moffat mourant qui met en doute le bien-fondé de leur mission, Rutledge répond qu'ils combattent non pour les Blancs, mais pour leur dignité ; et le témoignage le plus émouvant, lors du procès, est celui du sergent Skidmore, né esclave et âgé de soixante-dix ans. Les thèmes musicaux soulignent la référence à la guerre de Sécession et à la libération des esclaves. On entend « L'Hymne de bataille de la République », et surtout « Jubilo » (que Huston déjà avait magnifiquement utilisé pour accompagner les dernières images de *La Charge victorieuse*). Si la guerre de Sécession a libéré les esclaves en droit, leur appartenance au 9e Régiment parachève cette liberté, leur confère la dignité d'hommes libres en fait et non seulement en droit. Aussi entend-on « Jubilo » lorsque Rutledge parle à Moffat, lorsque, reprenant sa « liberté », il s'enfuit du détachement, mais surtout lorsqu'il décide librement de revenir parmi les siens, de rejoindre le détachement menacé par l'embuscade apache. Le personnage explique : c'est que « le 9e Régiment était ma patrie, ma vraie liberté et ma dignité. En le désertant, je n'étais plus qu'un esclave fugitif ». En d'autres termes, la liberté, qui consiste à regagner sa patrie (« home »), s'oppose à l'esclavage, qui est errance (« swamprunnin' nigger »).

Et l'acteur (Woody Strode) de renchérir : « Jamais auparavant on n'avait vu un Noir sortir d'une montagne comme John Wayne. J'ai traversé le Pecos à cheval. C'était la plus glorieuse chevauchée aux accents des alléluias qu'aucun Noir ait jamais eue à l'écran. Et j'ai fait ça tout seul. J'ai fait traverser cette rivière à la race noire tout entière ».

6. FAMILLES, JE VOUS AIME

Qu'elle était verte ma vallée, Les Quatre Fils, Le Monde en marche

« Qu'elle était verte, ma vallée » : la phrase nostalgique résonne, évocatrice à la fois d'un passé disparu et de la mémoire qui le garde vivant ; en elle, l'exclamation amoureuse, avec l'accent sur l'épithète de couleur, l'emporte sur la lamentation. *How Green Was My Valley* (1941) est le récit d'un narrateur invisible (sans nous montrer son visage, une seule image cadre ses mains occupées à nouer, dans le châle de sa mère, le baluchon muni duquel il s'apprête à quitter à jamais la vallée) ; un récit dont les images se présentent en outre comme celles que voit le narrateur lorsqu'il ferme les yeux à la réalité, pareil au boxeur Dai Bando que les coups répétés ont rendu aveugle. De l'ouverture de ce récit au présent nié de la narration, quel drame s'est joué ? Il s'agit tout ensemble de l'assombrissement, du noircissement progressif de la verte vallée envahie par les crassiers, de la dispersion et de la destruction de la cellule familiale, de la disparition de l'enfance, ce paradis perdu : seule la mémoire défie le passage inéluctable du temps, le processus du vieillissement et de la mort. Et beaucoup de la magie cinématographique vient de ce qu'en effet vivent et revivent sous nos yeux, fantômes encore capables de susciter l'émotion, non seulement des personnages, mais des acteurs disparus.

Affirmé fût-ce contre l'évidence, le caractère édénique de l'enfance appartient à la tradition du récit autobiographique. On s'en avisera en comparant le film de Ford au chapitre qui ouvre *L'Education de Henry Adams,* mélancolique chef-d'œuvre de l'autobiographie américaine. Pour le garçonnet de Nouvelle-Angleterre, les dix premières années de sa vie sont placées sous le signe de l'été, de la liberté, de la multiplicité d'une nature luxuriante jusqu'à la « licence tropicale », un paradis de sensations enivrantes, d'abord olfactives et gustatives, puis visuelles. Pour Huw, le garçonnet gallois, la primauté du visuel est affirmée par la désignation de la verdoyante vallée, jardin d'Eden ou de Canaan dont Ford et le

C.D. Friedrich : *L'Arbre aux corbeaux* (Louvre)

photographe Arthur Miller soulignent l'abondance, mais aussi la qualité féerique, en composant des tableaux pastoraux qui ont le charme précis et scintillant de Samuel Palmer ou de Caspar David Friedrich.

Mais le goût ne joue pas un rôle moindre. La table familiale est d'abord celle du dîner, où, selon un rituel scrupuleux, chacun se recueille avant que le père distribue le pain, puis aiguise son couteau et découpe le rôti de bœuf ou le gigot de mouton qui n'y faisait jamais défaut. Le narrateur, dont la voix off commente ces scènes muettes, ne manque pas d'affirmer la supériorité des nourritures terrestres sur les plaisirs intellectuels de la conversation ; plus tard, il assurera n'avoir pas oublié, après cinquante ans, le goût du caramel qu'il achetait pour un penny dans la boutique voisine, exactement comme l'Américain déclare avoir subitement retrouvé sur sa langue le goût de son abécédaire, « soixante ans plus tard ».

Curieusement, la comparaison ne s'arrête pas là. Un thème

commun à Ford et à Henry Adams consiste à voir dans l'éducation un mal nécessaire, sans doute, mais un mal. Pour Adams, l'éducation s'oppose à la nature comme l'hiver à l'été : « L'hiver et l'été, la ville et la campagne, la loi et la liberté, étaient des forces hostiles, et qui prétendait le contraire était, à ses yeux, un maître d'école — c'est-à-dire un homme payé pour dire des mensonges aux petits garçons ». L'éducation est infligée à l'enfant qui, ainsi expulsé du Paradis terrestre, revit la chute d'Adam. Premier membre de la famille Morgan à être admis à l'école publique, le petit Huw y est accueilli par le sarcasme et l'humiliation ; il est rossé et assommé par un caïd, puis, lorsqu'il prend sa revanche, battu jusqu'au sang par un instituteur sadique et snob.

Chez Adams, les seules leçons utiles viennent du hasard ; chez Ford, trois figures d'éducateurs, atypiques à des titres divers, s'opposent à celle du maître d'école. Le père, en premier et en dernier lieu : le narrateur affirme d'emblée avoir appris de lui tout ce qu'il sait d'important. La leçon est d'abord morale, elle est celle d'une autorité « naturelle » qui s'exerce avec fermeté, mais sans brutalité, le plus souvent de manière tacite, d'un geste, d'une tape brève, d'un regard, d'un sourire. Incontestée par Huw, l'autorité du père ne l'est pas des autres frères, qui comprennent l'intérêt pour les mineurs d'organiser un syndicat ; aussi la figure paternelle archaïque qu'incarne Donald Crisp est-elle complétée par celle du pasteur Gruffydd (Walter Pidgeon) : figure idéale qui réconcilie les contraires, qui ouvre à Huw le monde de la lecture et de la connaissance en même temps qu'il le réintroduit dans celui de la nature, lui réapprenant à marcher, qui juge que le syndicalisme peut aller de pair avec les valeurs de justice et de non-violence, qui reforme la cellule familiale une première fois brisée par le conflit des générations en convaincant les fils Morgan de revenir sous le toit paternel.

Figure idéale, père adoptif qui corrige sans le contredire le père selon le sang et qui lègue à Huw la montre qu'il tenait de son propre père — mais aussi figure profondément ambiguë, car vouée à une pathétique impuissance. D'abord, Gruffydd est complètement isolé dans la communauté dont il est censé être le « pasteur », et son départ de la vallée — qui préfigure celui du narrateur — constitue l'aveu de son échec. Un puritanisme fanatique, qui a les traits d'Arthur Shields, le visage tordu par un rictus de haine, a raison des velléités d'aggiornamento de Gruffydd. Ford s'inscrit ici dans la tradition — tant littéraire que cinématographique — qui dénonce dans le puritanisme, sous le voile noir d'une « vertu » rigoriste, la macération des instincts les plus vils, la calomnie, l'hypocrisie, la lâcheté. C'est au nom même des valeurs chrétiennes d'amour et de vérité que l'hypocrisie puritaine, nouveau pharisaïsme, est inlassablement dénoncée dans ces fiefs protestants que sont le pays de Galles, la Nouvelle-Angleterre (*La Lettre écarlate* de Nathaniel Hawthorne, *A travers l'orage* de D.W. Griffith) ou la Scandinavie (*Piliers de la société* d'Ibsen, *La Saga de Gösta Berling* de Mauritz Stiller). Pasteur qui apostrophe sa congrégation de « bien-pensants » et lui retourne ses accusations, Gruffydd évoque précisément le personnage de Gösta Berling, ou encore celui qu'incarne Barbara Stanwyck au début de *Miracle Woman* de Capra.

Mais Gruffydd échoue en un sens plus profond. Par un scrupule excessif qui masque mal une résignation morose au martyre, il refuse l'amour passionné que lui offre Angharad (Maureen O'Hara), la sœur du narrateur, et la pousse ainsi dans les bras de l'ennemi de classe, la vouant à la richesse, à l'exil intérieur d'une cage dorée qui la sépare de sa famille « maternelle » et où elle se meurt tout en subissant impuissante les assauts de la calomnie.

Le paradoxe veut donc que Gruffydd, père spirituel de Huw et restaurateur de l'unité familiale, ait néanmoins une part de responsabilité non négligeable dans ce drame fordien par excellence : la dispersion de la famille Morgan. L'unité qu'il rétablit n'est d'ailleurs que de courte durée, les circonstances économiques forçant bientôt les frères à repartir — les deux premiers vers l'Amérique, le troisième vers le Canada, le dernier en Nouvelle-Zélande. Pasteur « moderne », éclairé et éduqué, Gruffydd ne fait guère que ralentir une évolution implacable, de même qu'à la fin du récit sa silhouette géante de saint Christophe (je songe à la scène où il portait Huw au sommet de la colline), à demi ployée, ne saura que composer une Pietà, majestueuse et impuissante, au-dessus du corps mort de Gwilym Morgan.

On n'aura garde d'oublier qu'à côté de ce personnage à l'idéalisme si peu pratique figure un troisième éducateur qui unit au contraire le sens du concret aux qualités du cœur : Dai Bando le boxeur aveugle. Il enseigne la boxe au petit Huw et administre au maître d'école une leçon à la fois pratique et théorique (selon les règles établies par le marquis de Queensberry) qui laisse son élève peu doué sans voix. Je note au passage que le comique « picaresque » d'une telle séquence, déploré par Mitry et Agel, n'est nullement plaqué et joue son rôle dans l'économie d'ensemble de l'œuvre : ce comique est celui du gai savoir. Dai Bando « corrige » l'instituteur monstrueux comme Gruffydd corrige le pasteur satanique. En compagnie de Huw et du révérend Gruffydd, Dai Bando fait partie de ceux qui descendent chercher Morgan au fond de la mine ; on ajoutera que l'intimité du rapport qui l'unit à son jeune élève est accentuée dans la version britannique, où Rhys Williams, l'interprète du boxeur, prête aussi sa voix au narrateur du film (il s'agit, dans la version américaine, d'Irving Pichel).

Dans un bel équilibre, trois figures féminines bienfaisantes répondent aux personnages masculins. La mère (Sara Allgood) est au père ce que le « cœur » est à la « tête ». De même que le narrateur âgé plie ses quelques possessions dans le châle de sa mère, de même celle-ci, détournant l'iconographie de Danaé, reçoit dans le giron de son tablier la paye des hommes,

Qu'elle était verte ma vallée

qu'elle fera fructifier. Impétueuse et éprise d'absolu, la sœur, Angharad (Maureen O'Hara) correspond à Gruffydd qu'elle aime et qui l'aime. Bronwyn, la belle-sœur (Anna Lee), à la fois mère et amante, est dotée du même sens pratique que Dai Bando : elle s'attache à assurer le confort de son homme, préparant ses habits, le régalant de gâteaux sablés.

Comme la femme chez Adams, la mère représente une force d'inertie, un pôle conservateur. Non seulement le syndicalisme, mais l'éducation lui inspire les plus expresses réserves. Son bon sens s'insurge à l'énoncé des problèmes de robinet : seul un fou s'aviserait de remplir une baignoire percée. Lorsque Huw obtient son diplôme, suscitant l'exclamation admirative du père, elle s'étonne que le parchemin soit rédigé en latin : « pourquoi pas en gallois, ou même en anglais ? » Mais la mère est aussi la maison, la mémoire, le foyer d'une communication télépathique, non verbale, entre tous les « membres » du corps familial, présents ou éloignés, vivants ou morts. Un bâton lui suffit pour dialoguer avec Huw de part et d'autre de la cloison qui les sépare alors qu'ils sont tous deux alités après leur accident et revivent en somme l'expérience de la grossesse et de la gestation. Poétique et sentencieux, Huw relie, sur la mappemonde, les points où résident les frères exilés : la mère observe qu'elle les sait présents à ses côtés, dans la maison familiale. De même, à l'instant où meurt son mari, elle indique qu'il vient de lui apparaître en compagnie d'Ivor, leur fils précédemment tué à la mine.

Beth Morgan répète le personnage de la mère qu'on trouvait dès *Les Quatre Fils* (*Four Sons,* 1928). La majeure partie du film est située en Allemagne, mais l'œuvre, incontestablement influencée par Murnau, n'est pas aussi uniment « germanique » que le disent Sarris et Gallagher ; elle fait aussi songer à Borzage (dont, il est vrai, *L'Heure suprême* doit elle-même beaucoup à Murnau), à Lubitsch, à Capra et à McCarey. Le récit s'ouvre dans un monde idyllique, voire édénique, une petite ville pittoresque et ensoleillée, avant la Première Guerre mondiale. Veuve, la mère préside à la tête de la table familiale où deux de ses quatre fils sont assis de part et d'autre. Comme dans *How Green Was My Valley,* le bénédicité précède le repas. L'un des fils, Joseph, émigre en Amérique. La guerre éclate. Deux frères sont tués. Le dernier, Andres, part à son tour. A l'armée, on tond ses boucles blondes, dans une scène insistante qu'imitera le Kubrick de *Full Metal Jacket.* A la gare, sa mère, préfigurant la communication non verbale de *How Green,* lui passe, par la fenêtre du train, un panier de provisions. Au front, il meurt dans les bras de son frère « américain ». La mère se retrouve seule à la table familiale, disant le bénédicité ; ses quatre fils lui apparaissent en surimpression.

Dans la deuxième partie du film, Joseph invite sa mère à le rejoindre en Amérique ; mais il lui faut, pour être admise aux Etats-Unis, apprendre l'alphabet. Arrivée à Ellis Island, munie, telle une marchandise, d'une étiquette, elle sèche à l'examen, s'égare dans la foule new-yorkaise, ne sachant que répéter : « Wo ist mein Joseph ? » S'il est vrai que tout se termine bien, l'expérience de l'éducation est ressentie, ici aussi, comme traumatique et déshumanisante, comme un arrachement, une perte d'identité. Sans doute l'éducation formelle est-elle susceptible de constituer un processus libérateur et civilisateur : c'est le cas dans *La Fièvre dans le sang* de Kazan, dans *Comme un torrent* de Minnelli ou chez le Truffaut de *L'Enfant sauvage.* Mais combien plus souvent se confond-elle avec la répression qu'exercent des tyranneaux grotesques : que l'on songe à *Zéro de conduite,* au Truffaut des *400 Coups,* à *Pelle le conquérant,* film danois de Bille August, d'esprit très « fordien ». Jusque dans le cinéma soviétique, le thème frappe par son ambiguïté. S'il est vrai que c'est l'instituteur qui, dans *Le Premier Maître* (Andreï Mikhalkov-Kontchalovski, 1965), subit une sorte de martyre, et non ses écoliers, son obstination a pourtant quelque chose d'inhumain, et le prix à payer pour l'éducation (à laquelle on sacrifie tant la vie du plus doué des élèves que le peuplier centenaire) n'est pas loin de paraître exorbitant.

A l'affirmation que la mémoire défie le temps, que la famille fordienne reste unie malgré la séparation géographique et même la mort, la technique cinématographique confère une forme spécifique, poignante et illusoire : la surimpression (*Four Sons, Fort Apache*) ou la reprise, à la fin du film, de plans « matinaux » (*Qu'elle était verte ma vallée*) donnent une apparence de vie et de relief aux silhouettes fantomatiques qui se dessinent sur l'écran. Il en va de même dans *Le Monde en marche (The World Moves On,* 1934). Si la thématique de cette œuvre est exemplaire (une famille d'industriels du textile, basée à La Nouvelle-Orléans, essaime à Manchester, Lille et Düsseldorf et affirme, à travers l'orage de la Grande Guerre, sa

Réincarnation Art Déco : Madeleine Carroll et Franchot Tone dans *Le Monde*

rche

solidarité et la primauté des valeurs d'amour et de miséricorde), les maladresses patentes de sa direction d'acteurs et de ses dialogues la réduisent, dans la filmographie de Ford, à un codicille. Un frisson y passe pourtant, le sentiment fugitif d'une littérale réincarnation, du simple fait que des personnages censés vivre à un siècle d'intervalle sont interprétés par les mêmes acteurs, Franchot Tone et Madeleine Carroll. Le message, mais aussi le procédé, font de ce *Monde en marche*, à l'instar de *Peter Ibbetson* ou de *Berkeley Square,* un film digne d'être aimé des surréalistes.

Inversement, dans une séquence magnifique des *Raisins de la colère,* le cinéma est utilisé pour sa capacité cruelle à saisir la réalité du temps qui passe. Avant de quitter l'Oklahoma, Ma Joad brûle, dans un brasero, les souvenirs dérisoires de la famille. Parmi les cartes postales, les coupures de journaux, les bibelots, une paire de boucles d'oreille qu'elle met brièvement, avant de se regarder dans la glace : le sentiment de la jeunesse perdue est déchirant. A la différence d'un Borzage, Ford ne donne pas l'impression qu'il adhère entièrement à la croyance de ses personnages dans la force spirituelle de la mémoire. Le narrateur lui-même de *Qu'elle était verte ma vallée,* tout en affirmant partager le don maternel de faire revivre le passé, tout en affirmant « être toujours l'enfant » qui fut amoureux de Bronwyn, ne se confond pas, quoi qu'en dise Gallagher, avec le personnage de Huw. La distinction narrateur/personnage est rendue « palpable » par la différence des voix (Sarah Kozloff a écrit de belles pages sur ce sujet), mais, en tout état de cause, et à l'instar de Henry Adams narrateur de *L'Education,* le narrateur de *How Green* ne saurait en effet être assimilé à l'enfant d'« avant la chute ». Homme éduqué, c'est son éducation même qui lui permet de raconter son récit nostalgique ; la coexistence de sa mémoire et de son statut de narrateur marque la naissance d'une conscience dédoublée, malheureuse et divisée, celle du narrateur rétrospectif.

7. LA LEGENDE

La Prisonnière du désert, Les Deux Cavaliers, L'Homme qui tua Liberty Valance, La Chevauchée fantastique

« Je m'appelle John Ford. Je fais des westerns. » S'il est vrai que le western, genre cinématographique illustré en particulier par John Ford, a puissamment contribué à maintenir vivante et à diffuser la légende de l'Ouest américain, il faut se souvenir aussi que l'Ouest, selon le mot de l'historien Henry Nash Smith, a été « symbole et mythe » longtemps avant la naissance du cinéma : le septième art est venu enrichir toute une littérature, grande ou populaire, une iconographie et un folklore dans lesquels il a puisé sans compter. Naguère, seuls les enfants lisaient encore Fenimore Cooper, mais la gloire du romancier avait été immense au XIXe siècle, et comparable un peu, dans l'intelligentsia européenne, à celle de Ford ou de Hawks parmi nos contemporains. Dans *Le Dernier des Egyptiens,* Gérard Macé a ressuscité la figure de Champollion lecteur de Fenimore Cooper ; quant à Balzac, il emprunte le surnom de Nucingen, le Loup-Cervier, aux Indiens alliés des Français que Cooper met en scène dans *Le Tueur de daims* (ainsi le même surnom, tache de couleur locale « française » chez l'Américain, est-il symétriquement exotique chez le romancier français).

Cette archéologie du western a deux conséquences. D'une part, elle explique la difficulté de dégager le genre de la légende et du mythe, même si certains réalisateurs s'y sont essayés avec constance sinon avec réussite. L'approche véritablement historique ne consiste-t-elle pas à reconnaître que l'aura du mythe est consubstantielle à l'idée de l'Ouest ? Tel est le choix d'un Nicholas Ray, dont « The True Story of Jesse James » (*Le Brigand bien-aimé*) doit s'entendre non pas à la lettre ni certes ironiquement, mais comme le titre d'une ballade populaire. D'autre part, c'est de longue date qu'on a souligné la distance qui sépare le mythe de la réalité, qu'on a opposé un Ouest idéal et largement imaginaire à la réalité de sa colonisation. Car le mythe de l'Ouest est aussi (est d'abord), comme tout mythe primitiviste, celui d'un âge d'or disparu, donc celui de la mort de l'Ouest. Ici encore, Fenimore Cooper peut nous servir de guide lorsque, homme de l'Est inspiré par les paysages de l'Hudson et les récits des ethnologues, il déplore en de beaux passages mélancoliques la disparition des Mohicans, Bons Sauvages plus beaux que l'antique, plus beaux que nature, ou celle du vieil éclaireur Bas-de-cuir, qui a vainement fui la civilisation blanche dont il a en même temps favorisé la progression.

C'est dire que ni le western « crépusculaire », ni le western pro-indien, ne datent, comme on le répète trop souvent, des années cinquante et soixante de ce siècle. Il serait plus juste d'observer que des cycles se succèdent, qui compliquent le traitement de thèmes anciens par l'effet propre de l'expression cinématographique. Effet lui-même complexe, le cinéma étant susceptible d'accentuer l'impression de réalisme comme de renforcer, par le recours à une star, le processus de mythification. Tel est le contexte dans lequel je souhaiterais examiner brièvement quatre westerns de John Ford qui s'attachent à divers aspects du mythe de l'Ouest et à ses contradictions : *La Chevauchée fantastique* (*Stagecoach,* 1939), *La Prisonnière du désert* (*The Searchers,* 1956), *Les Deux Cavaliers* (*Two Rode Together,* 1961) et *L'Homme qui tua Liberty Valance* (*The Man Who Shot Liberty Valance,* 1962). Ils n'appartiennent pas au cycle de la Cavalerie, même si celle-ci figure dans les trois premiers. A l'exception près de Widmark dans *Two Rode Together,* ils ont pour héros non des soldats, mais des individualistes farouches, voire des hors-la-loi, rebelles à la discipline militaire. Ces héros sont incarnés à trois reprises par John Wayne. Dans *Liberty Valance,* Wayne partage la vedette avec James Stewart, qui avait donné la réplique à Widmark dans *Les Deux Cavaliers.* D'autres rimes intérieures renforcent l'air de famille du groupe. On citera les enfants sauvages (enlevés et élevés par les Indiens) de *The Searchers* et de *Two Rode Together* ; l'attaque de la diligence, classique *topos* westernien, dans *Stagecoach* et *Liberty Valance* ; le décor de Monument Valley, dans *Stagecoach* et *The Searchers.*

Le consensus critique voit avec raison dans *La Prisonnière du désert* le plus beau des westerns de Ford, une œuvre saturée de violence, de bruit et de fureur, mais que tempère une tendresse d'autant plus émouvante qu'elle est rare. Ethan Edwards

(Wayne) et Martin Pawley (Jeffrey Hunter) sont les « searchers » du titre original ; ils recherchent la petite Debbie, qu'une bande de Comanches a emmenée prisonnière après avoir massacré sa famille. Leur traque déploie ses méandres dans un espace d'abord texan, bientôt plastique jusqu'à la distension, où se croisent des cultures à la fois antagonistes et analogues. Pendant la majeure partie du récit, Ethan semble un personnage monolithique, qui hait les Indiens au point de vouloir tuer sa nièce Debbie, souillée à ses yeux par le contact avec les sauvages. Cet homme de l'Ouest est aussi un homme du Sud, qui a combattu dans les rangs confédérés et doit à une de ces ironies dont l'histoire est coutumière de se retrouver, dans la chasse à l'Indien, du même côté que ses ennemis de la veille. Servant, comme il est fréquent, d'intermédiaires entre les Anglo-Saxons et les Indiens, les Mexicains complètent la mosaïque ethnique.

Cultures antagonistes, mais analogues. Et d'abord il est important de voir qu'en effet il s'agit de deux cultures, et non de l'opposition « classique » entre la civilisation européenne (le jardin) et la sauvagerie indienne (le désert). Tag Gallagher a raison de le rappeler contre la dialectique structuraliste, séduisante mais peut-être fallacieuse, de Jim Kitses *(Horizons West)* et de Peter Wollen *(Signs and Meaning in the Cinema)*. Un parallèle insistant rapproche Ethan Edwards de son ennemi mortel le chef comanche Scar. Ils sont tous deux les rescapés de causes perdues (la Sudiste, l'Indienne), ils ont été vaincus par la même Cavalerie « yankee », ils porteront tour à tour la même médaille qu'Ethan a gagnée en combattant pour Maximilien (autre cause perdue), ils sont également hantés par l'idée de venger leurs morts, collectionnent les scalps et manient, l'un à l'égard de l'autre, le même sarcasme : « Tu parles bien comanche. Qui t'a appris ? » Leur amour pour Debbie manifeste la même tendresse inexplicable : Scar a fait d'elle son épouse au lieu de la massacrer avec les autres membres de sa famille ; dans un geste d'une beauté inégalée, Ethan, soudain purgé de la haine qui l'animait, prend la jeune femme dans ses bras et la soulève de terre, comme une épousée à qui on fait franchir le seuil de la maison nuptiale, et la ramène « chez elle ».

Ethan et Scar ont en commun d'être des nomades. Les Comanches Noyaki poussent le plus loin le nomadisme que

Le plus beau des westerns de Ford : John Wayne dans *La Prisonnière du désert*

dénote leur nom, mais pour tous les personnages l'enracinement familial et féminin constitue un rêve impossible. Afin de trouver Debbie qu'il considère comme sa sœur, Martin Pawley délaisse, des années durant, sa fiancée Laurie. *The Searchers* multiplie l'image westernienne type du cavalier errant : Ethan et Martin, les Comanches, les soldats du 7e Régiment de Cavalerie, les Texas Rangers, le Mexicain au grand sombrero... L'errance est aussi, métaphoriquement et ontologiquement, l'hésitation entre deux identités. C'est évident pour Sam Clayton (Ward Bond), qui endosse alternativement la tunique du révérend et le manteau du capitaine de Rangers, mais aussi pour Debbie, la « prisonnière du désert », deux fois arrachée à sa famille, voire pour Martin Pawley, qui a du sang cherokee. Quant à Laurie, la fiancée de Martin, elle hésite entre le rôle féminin traditionnel et celui du garçon manqué. « Masculins », sa chemise à carreaux, ses blue-jeans et ses manières brusques ne contribuent pas peu à son charme, parce qu'ils ont la spontanéité de l'adolescence et lui permettent d'exprimer sans ambages le désir qu'elle a de Martin.

Cette mosaïque ethnique et culturelle, mais aussi l'ambiguïté troublante du personnage de Laurie, sont des traits qui annoncent Peckinpah, désignent une filiation peu contestable, du western « classique » au western « crépusculaire » *(Coups de feu dans la sierra / Ride the High Country, Major Dundee).*

Œuvre charnière dans le développement du genre, *The Searchers* échappe aux catégories intellectuelles commodes. Est-elle raciste, ou antiraciste ? Le spectateur est pris à contre-pied. Le traitement infligé à « Look », la femme indienne que Martin a achetée par inadvertance, relève de la farce la plus grossière, et scandalise. Mais à l'instant suivant tout bascule : Look est une victime sur le sort de laquelle on s'apitoie, et la Cavalerie américaine, caracolant sur l'air pimpant de « Gary Owen », est accusée de génocide. Non que Ford (à la différence de ce qu'il fera dans *Les Cheyennes,* dont il conçoit précisément le projet à cette époque) sacrifie au mythe du Bon Sauvage : Comanches et Cavaliers, également coupables du massacre de populations civiles, sont renvoyés dos à dos. Look, qui est l'innocence même, est la victime d'une guerre dont l'enjeu est strictement territorial, non moral : deux cultures s'affrontent, égales en dignité — et en indignité. Sa mort rappelle celle d'Hetty dans *Le Tueur de daims* : enfant sauvage, simple d'esprit, armée de la seule Bible, elle est tuée dans les feux croisés d'une bataille qui oppose Peaux-Rouges et habits rouges.

Le personnage de Look, femme indienne d'un Blanc, équilibre celui de Debbie, femme blanche d'un Indien. Son physique popote renverse ironiquement l'image de la princesse indienne qui, remontant à la légende de Pocahontas, culmine au cinéma avec *Au delà du Missouri* de William Wellman et *La Captive aux yeux clairs* de Howard Hawks. Peut-être faut-il voir là, de la part de Ford, une intention satirique : l'Irlandais aux sympathies nordistes raillerait ainsi les prétentions nobiliaires des artistocrates de Virginie, qui faisaient reposer leurs titres de propriété sur leur descendance, réelle ou supposée, de Pocahontas. (C'est aux antipodes de l'Amérique, dans le monde féerique de *Donovan's Reef,* que Ford sacrifiera au mythe de la « princesse indigène ».)

Une brève séquence de *La Prisonnière du désert* montre d'autres captives qui n'ont pas su (comme Debbie) garder la mémoire de leur culture d'origine, qui n'ont pas eu (comme Look) la malchance ou la chance d'être tuées par leurs « libérateurs » : à peine sorties de l'enfance, elles ont sombré dans une nouvelle enfance. Le thème est repris et amplifié par *Les Deux Cavaliers,* dont le sujet pourrait être défini comme la réversibilité de l'identité culturelle. Quatre cas nettement différenciés illustrent cette réversibilité tragique et incontrôlable. Pareille aux captives de *The Searchers,* une jeune Scandinave, avec un maquillage qui ne paraît outrancier que sur sa peau très blanche, a oublié son identité originelle et s'affole à l'idée de quitter sa famille indienne. Au contraire, une femme âgée, Hannah Clegg (le rôle est interprété par Mae Marsh), se souvient, mais elle refuse elle aussi de quitter les Comanches, et même qu'on donne de ses nouvelles ; adoptant en somme le point de vue d'Ethan Edwards, elle se considère comme « morte ».

Le cas d'Elena de la Madriaga (Linda Cristal) est plus complexe. Cela ne vient pas seulement de ce que, Mexicaine, elle est tenue par les Anglo-Saxons — de façon plus ou moins consciente — pour à demi indienne, c'est aussi que le personnage a intériorisé cette réversibilité culturelle jusqu'à en faire une nouvelle nature, comme s'il se caractérisait, en dernière analyse, par le basculement même d'une identité à l'autre. Cinq ans captive du chef comanche Stone Calf (Woody Strode), ne s'étant gardée du suicide qu'en raison de sa foi catholique, Elena est pourtant devenue indienne, par intermittence mais profondément. Deux images au moins l'attestent : celle, superbe, où, à cheval, enlevant son manteau noir, elle révèle une robe au rouge éclatant ; celle qui montre sa réaction à la mort de Stone Calf. Elle se jette à terre près du cadavre de son maître honni, ramasse du sable rouge qu'elle laisse tomber en pluie tout en psalmodiant à l'indienne (ou à l'andalouse ?). Ces lamentations, la poussière qui dans la nuit se mêle à la fumée du feu de camp, composent une scène saisissante, fantasmagorique.

Quant à l'adolescent Running Wolf, il rejette agressivement son identité blanche, crache au visage de ses « libérateurs » qui sont bientôt ses geôliers, poignarde la femme qui, persuadée d'être sa mère, le délie et s'apprête à couper sa natte indienne. Enfermé dans une cage devant laquelle défilent les badauds, puis lynché sous les yeux de sa sœur par ceux-là mêmes qui l'ont racheté aux Comanches, il incarne un enfant sauvage aussi violent qu'était pacifique l'Hetty de Fenimore Cooper, mais il est lui aussi une victime pathétique, prise dans les feux croisés de deux cultures antagonistes.

Avec *Les Deux Cavaliers* comme avec *La Prisonnière du désert,* Ford exacerbe des contradictions inhérentes au genre. Mais l'esprit des deux œuvres est bien différent. Sans préjudice de la diversité des registres (action, passion, humour...), la nature de la poursuite et surtout la psychologie d'Ethan Edwards conféraient aux *Searchers* une incontestable unité de ton. *Two Rode Together* dérouta, puis séduisit, par la nonchalance de sa narration, assortie au personnage cynique et décontracté du shérif McCabe.

Un an plus tard (1962), dans une œuvre de facture plus classique, mais au message ouvertement révisionniste, Ford réunit l'interprète d'Ethan Edwards et celui de McCabe, John Wayne et James Stewart, l'un et l'autre susceptibles d'être désignés comme « L'Homme qui tua Liberty Valance ». Il s'agit, en plusieurs sens, d'un western « crépusculaire ». D'abord, Ford revient au noir et blanc, à la peinture d'un monde clos, à de nombreuses scènes d'intérieur et à de nombreuses scènes nocturnes. Ensuite, le film a pour sujet, là encore en plus d'une acception, la mort d'un héros de western. En un sens littéral, la mort de Tom Doniphon (John Wayne) sert de prétexte au récit. La venue du sénateur Stoddard (Stewart) à l'enterrement de Tom enchâsse le récit en flash-back : la communauté terrorisée par le bandit Liberty Valance, les efforts valeureux mais impuissants de Stoddard pour s'opposer au hors-la-loi, sa rivalité amoureuse avec Tom Doniphon, le triomphe inattendu de Stoddard sur Valance, qui lui vaut son surnom et sa fortune politique, la révélation qu'en réalité Stoddard, piètre tireur, a été sauvé par Doniphon, le double sacrifice de celui-ci, qui abandonne à son rival non seulement la gloire de son geste, mais aussi la main de Hallie, la femme qu'ils aiment l'un et l'autre.

Longtemps avant sa disparition physique, l'authentique homme de l'Ouest qu'incarne, avec son Stetson, Doniphon est, en quelque sorte, mort d'une mort métaphorique, héros privé de sa gloire même posthume puisque, aux yeux de la postérité, c'est Stoddard qui restera « l'homme qui a tué Liberty Valance » (du moins si l'on en croit l'épilogue du film, qui, comme celui de *Fort Apache,* semble contredire la pratique de Ford : maintenir la fiction que Thursday était un héros, que Stoddard a tué Liberty Valance, n'est-ce pas, à l'inverse exactement de ce que Ford accomplit dans les deux films, reforger le mensonge ? Mais sans doute faut-il comprendre un message plus subtil : que la légende ayant contribué à façonner l'Histoire, elle est, d'une certaine manière, devenue réalité.)

L'élégie de l'Ouest défunt est patente : même si Stoddard n'est nullement un personnage antipathique, c'est un politicien qui a réussi, autant dire un imposteur qui doit sa carrière à l'héroïsme et à l'abnégation d'un cow-boy. Et même si cette réussite a été voulue par le cow-boy, celui-ci y gagne une pureté nostalgique par définition inaltérable.

L'impression crépusculaire vient encore de la distribution. On croit à la mort symbolique de l'homme de l'Ouest parce qu'il est incarné par John Wayne vieillissant (il a cinquante-quatre ans lors du tournage). Comme le note Gallagher, Ford ne fait aucun effort sérieux pour « rajeunir » les personnages de Stoddard et de Hallie dans le flash-back. Ce qui constitue à mes yeux une faute structurale du cinéma américain (dans *Les Deux Cavaliers,* quel que soit le charme des interprètes, avouerai-je quelque gêne au spectacle de l'idylle entre le lieutenant Widmark, dont le visage buriné trahit les quarante-six ans, et l'adolescente à nattes Shirley Jones, qui en compte tout de même vingt-six...) devient ici — par accident ou par dessein — un atout. Nous croyons à la mort du mythe parce que cet Ouest est peuplé de fantômes ; inversement — ou complémentairement — nous croyons d'autant mieux au mythe qu'il a les traits juvéniles du Ringo Kid dans *Stagecoach.*

Des rapports étroits et nombreux unissent en effet *Liberty Valance* à *Stagecoach.* La diligence dont James Stewart essuie la poussière, dans *Liberty Valance,* pour lire le nom de la ligne qu'elle desservait, et qui, dotée du pouvoir magique de voyager non plus dans l'espace mais dans le temps, sert à introduire le flash-back, cette diligence est la même précisément, elle fait revivre celle de l'OVERLAND STAGE LINE qui donnait son titre à *Stagecoach.* En Peabody, journaliste ivrogne, mais « shakespearien » car il est tout à la fois cabotin, pathétique et sublime, l'Edmond O'Brien de *Liberty Valance* reprend un type perfectionné par Thomas Mitchell, le docteur ivrogne et cultivé de *Stagecoach.* La ressemblance est accentuée par le noir et blanc auquel Ford revient pour la dernière fois après avoir photographié en couleurs tous ses westerns depuis *La Prisonnière du désert (Les Cavaliers, Le Sergent noir, Les Deux Cavaliers).*

La diligence de *La Chevauchée fantastique* (1939)

La dernière partie de *Stagecoach,* en particulier, préfigure *Liberty Valance,* avec le décor essentiellement nocturne de la ville de Lordsburg et du quartier mal famé où Miss Dallas (Claire Trevor) exerce sa profession et force le Kid à la suivre.

La constance de l'expressionnisme fordien est manifeste dans les scènes de *gunfight* des deux films. Rompant avec une pratique courante au début des années trente, ces gravures à la manière noire, loin d'opposer la loyauté des bandits de l'Ouest à la cautèle des gangsters, agencent une iconographie digne en tous points du film criminel. Les deux œuvres se font écho, mais renversent l'économie intérieur/extérieur. Dans *Stagecoach,* ouverture et conclusion ont pour cadre la ville, tandis que la partie médiane, malgré la longue halte chez Chris (et les plans de l'intérieur de la diligence...), se déroule, pour l'essentiel, en plein air ; c'est la première fois que Ford tourne dans ce qui deviendrait son décor mascotte de Monument Valley. Dans *Liberty Valance,* au contraire, l'ouverture et la conclusion respirent grâce au grand espace diurne que traverse le chemin de fer, alors que le flash-back est, pour une grande part, situé en ville, la nuit, et notamment à l'intérieur du restaurant tenu par Peter Ericson (John Qualen).

Une différence pourtant, considérable : le même acteur — John Wayne — à vingt-trois ans d'intervalle. La présence du même interprète, tour à tour juvénile *(Stagecoach),* dans la force de l'âge *(The Searchers),* vieillissant *(Liberty Valance),* confère aux trois films le caractère d'un cycle authentique. Où Ringo Kid triomphe et joue auprès de Miss Dallas le même rôle chevaleresque que Hatfield, l'aristocrate déchu, le Cavalier de Virginie, auprès de Mrs. Mallory, Ethan Edwards est voué à la solitude, Tom Doniphon à la mort. A première vue, l'effet est inverse de celui qu'a judicieusement décrit D.H. Lawrence à propos du personnage de Bas-de-cuir, que le lecteur, s'il respecte l'ordre dans lequel Fenimore Cooper a écrit ses romans, découvre d'abord âgé, puis jeune et héroïque, faisant ainsi l'expérience « d'un *decrescendo* de réalité, et d'un *crescendo* de beauté », et assistant à la création graduelle d'un mythe. Mais il se pourrait justement que l'effet fût assez proche. D'une part, le spectateur d'aujourd'hui est susceptible de voir d'abord les films les moins éloignés dans le temps, et d'être davantage familiarisé avec John Wayne vieilli et avec la mélancolie de *Liberty Valance.* En outre, et en tout état de cause, découvrir dans *La Chevauchée fantastique,* au terme d'un travelling avant légèrement tremblé, un John Wayne si réellement juvénile (grâce au cinéma, voile de Véronique) qu'il semble défier la mort, produit un effet proprement magique, constitue pour le spectateur une soudaine épiphanie, la révélation que le cinéma n'est pas seulement l'objet (justifié) d'un culte nostalgique, mais qu'il permet une remontée littérale jusqu'aux sources du mythe.

John Wayne et James Stewart dans *L'Homme qui tua Liberty Valance*

8. L'EXPRESSIONNISME

Le Mouchard, La Patrouille perdue

Revoir aujourd'hui *Le Mouchard* (*The Informer,* 1935) est instructif à plus d'un titre. Salué comme un chef-d'œuvre lors de sa sortie, il figura longtemps sur la liste des plus grands films de l'histoire du cinéma. Puis il connut la désaffection des cinéphiles et servit même de contre-exemple. Ces réactions extrêmes doivent l'une et l'autre être replacées dans leur contexte historique. En 1935, la critique, saturée de comédies réalistes et bavardes, applaudit l'« originalité » d'une œuvre dont le symbolisme insistant s'exprime par le biais de la plastique. Trente ans plus tard, la mode critique, à la remorque de Bazin et de Mourlet, célèbre dans le cinéma un art du réel — même s'il s'agit d'un réel volontiers magnifié, paré d'une aura spirituelle ou épique — elle dénonce l'art comme artifice, et si elle continue à placer Ford très haut, c'est non pour ses œuvres où l'ambition artistique est la plus affirmée, comme *Le Mouchard* ou encore *Dieu est mort* (*The Fugitive,* 1947), mais pour celles dans lesquelles alternent, avec une grande liberté de ton et de facture, majesté épique et humour décontracté. A l'artifice d'un décor trop évidemment et complaisamment composé, on préfère l'évidence des vastes espaces de Monument Valley, le tournage grisant en extérieur.

Le consensus critique des années soixante est bien résumé par Sarris : « Vus en tandem, *Dieu est mort* et *Fort Apache* [1948] indiquaient un glissement dans la sensibilité de Ford : du royaume des ombres de Dudley Nichols à l'univers ensoleillé de Frank S. Nugent, de l'allégorie sociale à l'aventure pour le grand public, et des mensonges de l'art aux demi-vérités de la légende ». De même, pour Lindsay Anderson, *Fort Apache, La Charge héroïque, Le Convoi des braves, Le soleil brille pour tout le monde* « se différenciaient de l'œuvre antérieure de Ford par leur style plus décontracté. Leur facture est toujours aussi parfaite, mais elle est moins pointilleuse, le souci de la forme est moins sensible ». Anderson préfère manifestement cette période à celle du *Mouchard*, pour lequel il est très sévère : « Sa continuité visuelle, autrefois tant admirée parce qu'elle ne s'appuyait pas sur le dialogue, a aujourd'hui toute la lourdeur d'un film muet s'efforçant de raconter son histoire sans l'aide de sous-titres — cette impression est renforcée par la musique si peu subtile de Max Steiner ». Plus près de nous, Tag Gallagher, d'accord avec Anderson qu'il cite et Sarris qu'il paraphrase, considère qu'« aujourd'hui les qualités mêmes qui ont valu au *Mouchard* son statut de classique officiel semblent diamétralement opposées aux vertus fordiennes ».

Je crois au contraire qu'avec le recul, une vue plus équilibrée permet tout à la fois de relativiser l'originalité du *Mouchard,* mais aussi d'admirer le film indépendamment des polémiques liées à telle ou telle conception du cinéma, et enfin de s'interroger sur la pertinence de l'opposition entre les deux « styles » de Ford. Superbe exemple d'« expressionnisme », de style « allemand » ou « muet » délibérément archaïsant en plein essor du parlant américain, *Le Mouchard* pose notamment la question du décor, même s'il ne s'agit là que d'un des aspects du « style visuel » et même du style tout court, puisqu'il est évident que la photographie (éclairage, cadrage), la composition des plans, la gestuelle, les effets spéciaux, le rythme, la musique enfin, contribuent à cet « expressionnisme » qu'il est temps de caractériser.

« Dublin, 1920 » est, dans *Le Mouchard,* un de ces lieux typiquement cinématographiques, ni réels assurément, ni cependant imaginaires : une « atmosphère », comme le sont, à des titres divers, Londres dans *The Lodger* de Hitchcock, *Loulou* de Pabst, *Dorian Gray* de Lewin ou *Lured* de Sirk, le Maroc, la Chine ou la Russie de Sternberg, ou encore le Paris de Carné et Trauner ; le symbolisme du *Mouchard* (par exemple, l'aveugle auquel se heurte Gypo, incarnation de sa propre conscience) préfigure celui des *Portes de la nuit* (le « Destin » qui a les traits de Jean Vilar).

Il s'agit d'un décor qui se donne clairement pour tel, mais aussi pour la quintessence d'une ville réelle, son abstraction, sa stylisation. C'est ainsi que le décor du *Mouchard* n'est pas seulement composé de brouillard, de murs lépreux et d'affiches lacérées à la Villeglé : il décline les signes à la fois convenus et authentiques d'une atmosphère dublinoise, les lettres de style gaélique de l'enseigne DUNBOY HOUSE, les grilles qui sépa-

r McLaglen dans *Le Mouchard*

rent le trottoir du sous-sol des immeubles, les portes néo-classiques avec leurs marteaux et leurs impostes en forme d'éventail. De manière plus discrète peut-être, ces éléments décoratifs jouent donc le même rôle de repères, de notations, exotiques et précises, de couleur locale, qui est assigné à la musique (air impérialiste : « Rule, Britannia » ; air nationaliste : « The Rising of the Moon » ; air sentimental : les notes de harpe qui accompagnent le personnage de Mary).

Certains procédés sont clairement langiens : la vitrine, synonyme d'évasion, où une affiche vantant le passage en Amérique surmonte le modèle réduit d'un transatlantique ; les connotations « chthoniennes » de la cave où siège le tribunal de l'IRA (le parallèle avec *M le Maudit* est flagrant). D'autres sont carrément fantasmagoriques : ainsi, la surimpression, survivance moins de l'expressionnisme que du muet en général. Lorsque Gypo voit se superposer sur le visage de son ami Frankie l'affiche promettant vingt livres de récompense, on songe irrésistiblement... à Charlot métamorphosé en poulet dans *La Ruée vers l'or.*

Par « expressionnisme », pourtant, ne faut-il pas entendre une manière de manipulation plus subtile, qui permet à Ford de contrôler, de modeler à son gré l'image cinématographique sans rompre ouvertement avec la convention du réalisme ? Ainsi, lorsque le mouchard sort du poste de police par une porte dérobée, l'image est photographiée à travers des chevaux de frise, d'où une impression d'étrangeté, comme d'une vision troublée par l'interposition d'une toile d'araignée, tout à fait comparable au procédé qu'on trouvera dans *Adieu ma belle* (le « brouillard » dans lequel se réveille Marlowe/Dick Powell sous l'effet de la drogue) ; mais, à la différence de Dmytryk, Ford « objectivise » le point de vue de son personnage.

Parmi d'autres exemples de manipulation implicite, notons, à la suite de Dudley Nichols lui-même, l'implausible coïncidence du brouillard et du vent (celui-ci nécessaire pour que l'affiche colle, avec l'insistance d'une mauvaise pensée, aux chevilles de Gypo) ou les halos des torches électriques que brandissent les soldats anglais, effet consciemment imité du *Dernier des hommes,* de Murnau (v. lettre de Dudley Nichols à Lindsay Anderson [1953], citée par celui-ci). Ajoutons les lampadaires qui baignent de lumière les seuls visages des personnages (la technique sera reprise dans le procès du *Sergent noir*) et les rais lumineux qui pénètrent dans le cachot de Gypo : porteurs d'espérance, mais d'abord de souffrance, ils métamorphosent implicitement le mouchard en saint recevant les stigmates. Mentionnons encore la scène qui voit Mary et Dan Gallagher (le chef de l'IRA) s'embrasser, en pleine nuit, devant une fenêtre inondée de lumière — celle d'un réverbère, sans doute. Méprisant toute vraisemblance, l'effet de contre-jour relève d'une logique interne, propre au style et au décor du film, non de la logique « externe » d'un scénario. Les exigences de la plastique l'emportent sur celles de la narration : c'est cette logique interne d'une esthétique que je propose, en définitive, d'appeler l'« expressionnisme » de Ford.

L'« expressionnisme » du *Mouchard* suscite au moins trois interrogations : celle de la responsabilité éventuelle du décorateur (Van Nest Polglase) ; celle de la survivance ou de la résurgence de telles formes dans le cinéma hollywoodien ; celle de la permanence (ou non) d'un tel parti esthétique chez Ford. Les trois questions, on s'en doute, sont liées. Rappelons d'abord à quel type de film est d'habitude associé le nom de Van Nest Polglase : « à la RKO, Van Nest Polglase et ses collaborateurs s'efforcèrent de créer un monde artistement fini, fermé sur lui-même. Ils préparaient avec un soin méticuleux les motifs Art déco et leur articulation avec chacun des éléments filmiques : sujet, chorégraphie, costume, et jusqu'à la chevelure et la carnation des interprètes. L'opposition du noir et du blanc constituait une stratégie visuelle constante. C'est ainsi que les eaux du canal vénitien de *Top Hat* [1935 : c'est la même année que *Le Mouchard*] étaient teintes en noir pour mieux contraster avec les murs de marbre blanc. Et aux côtés de Ginger, un prétendant latin gominé faisait habituellement ressortir sa blondeur et sa blancheur à elle » (Mandelbaum et Myers, *Screen Deco*).

Rien là de commun avec *Le Mouchard* — sinon justement le souci de composer un décor « quintessentiel » (Venise, Dublin) dont la logique, la cohérence est « interne ». On notera en outre qu'on retrouve le nom de Van Nest Polglase au générique de *Citizen Kane* — un film qui, comme l'observe Sarris, fut accueilli en 1941 (puis critiqué beaucoup plus tard) de manière assez comparable au *Mouchard*. Une nouvelle fois, la question des résurgences expressionnistes se complique puisqu'elle met en jeu, de toute évidence, la photographie aussi bien que le décor. On cite toujours à ce propos le nom de Gregg Toland (directeur de la photo de *Citizen Kane*) ; or Toland fut à la même époque (1940) le collaborateur de Ford et signa la photo « travaillée », contrastée, modelée ou sculptée à la manière expressionniste des *Raisins de la colère* et du *Long Voyage (The Long Voyage Home).*

Le terrain des résurgences est déblayé par Francis Courtade dont le *Cinéma expressionniste* (1984) a le grand mérite de se pencher sur « les influences diverses du cinéma expressionniste », de James Whale à Dario Argento. Mais s'il n'est pas inhabituel de qualifier Welles — de *Citizen Kane* au *Procès* — d'« expressionniste », il n'en va pas de même pour Ford, et aux yeux de nombreux critiques, la série *Le Mouchard / Mary Stuart / Le Long Voyage / Dieu est mort* garde un caractère aberrant, atypique. Il est d'ailleurs piquant de noter qu'on reproche à Ford les procédés de manipulation qu'on admire chez Lang ou Hitchcock. Mais revenons au décor. Un instant de réflexion convaincra qu'on ne saurait simplement opposer le studio *(Le Mouchard)* à l'extérieur. Exactement contemporaine du *Mouchard, La Patrouille perdue* (*The Lost Patrol,* 1934) a la même réputation — justifiée — de film d'atmosphère, can-

Décor de Van Nest Polglase : *Mary Stuart*

tonné dans le « décor » pratiquement unique d'une oasis. Le cadre est borné latéralement, et traversé en diagonale, par les troncs des palmiers ; à l'intérieur de cet espace scénique, les soldats de la patrouille perdue débitent dialogues ou tirades, pathétiques ou grotesques, avant de tomber sous les balles d'Arabes invisibles. L'oasis est entourée de dunes de sable à la beauté géométrique ou abstraite, dont une lumière rasante accentue le relief. Parfois la caméra subjective nous donne à voir ce paysage dans une distorsion qui reflète le délire du personnage ; mais c'est, en dernière analyse, dans le film tout entier que le désert est ressenti comme l'objectivation d'une vision subjective. Nulle impression de « réalité » dans cette œuvre pourtant tournée en extérieur, dans le désert de Yuma (Arizona). Ford ne procède pas autrement en extérieur qu'en studio : il recompose un décor qui soumet l'action aux nécessités d'une plastique contraignante. En d'autres termes, l'opposition — réelle et indéniable — entre le cadre contraignant du studio et la liberté, l'« ouverture », de l'extérieur, n'en est pas moins relative. (Parmi des exemples de cette opposition : un intérieur bostonien offre un contraste saisissant avec les extérieurs de *La Taverne de l'Irlandais* ; le bref flash-back, dans lequel « l'homme tranquille » se remémore le match de boxe où il tua accidentellement son adversaire, oppose, aux paysages de la verte Erin, un expressionnisme d'anthologie : éclairage contrasté, halo lumineux, cadrages penchés, contre-plongées.)

Ici encore, je me bornerai à quelques repères, choisis dans une œuvre foisonnante. *Le Fils du désert (Three Godfathers,* 1948) est le remake d'un western primitif, *Les Hommes marqués* (*Marked Men,* 1919), mais il reprend aussi de nombreux éléments, tant plastiques que narratifs, de *La Patrouille perdue.* On retrouve le désert « abstrait », les ombres démesurées sur un sable dont la blancheur saline accentue le caractère irréel. Les « trois parrains » du titre original se déplacent, certes, davantage que les soldats de la patrouille ; mais, parvenus près du chariot où ils vont découvrir un nouveau-né, ils y séjournent longuement, reconstituant un décor d'intérieur qui les fixe au milieu du désert exactement comme les soldats dans l'oasis. Avançant vers le chariot, Armendariz est photographié de l'intérieur de celui-ci, cadré comme dans une ogive.

Ce mode de composition est aussi ancien que le western, et Ford ne l'a assurément pas inventé. On en trouve des exemples

Désert « abstrait » et diagonale : *La Patrouille perdue*

dès Thomas Ince, puis chez Griffith (*The Wanderer,* 1913) : du seuil de sa maison, une femme, cadrée, de dos, dans l'embrasure de la porte, observe un cavalier au loin. De même chez Robert Z. Leonard (*A Mormon Maid,* 1917) : les silhouettes lointaines de cavaliers indiens s'inscrivent dans un demi-cercle constitué par un arc de feuillage, au premier plan. Ford s'approprie cette technique dès *Du sang dans la prairie* (*Hell Bent,* 1918), resserrant l'espace « utile » d'un canyon entre ses deux parois rocheuses (et le réduisant aussi, en haut et en bas de l'image, à l'aide de caches) ; il la reprend constamment, en particulier dans *La Prisonnière du désert* (1956) : la porte « ouverte » sur l'extérieur encadre celui-ci, l'enferme ; l'extérieur est littéralement *contenu* dans le décor intérieur. Howard Hawks reproduit à son tour ce cadrage archétypique dans *Rio Lobo* (1970).

Objectera-t-on que *Le Fils du désert* tient de la parabole, que, malgré le tournage en extérieur (dans le désert Mojave), il appartient à la veine formaliste du metteur en scène ? Considérons alors *Fort Apache* (1948 aussi), qui « s'ouvre » (dans tous les sens du terme) sur le panorama de Monument Valley et dont le cadre (dans le sens photographique) semble à chaque instant vouloir nier son nom et sa fonction pour se dilater jusqu'à coïncider avec les paysages grandioses du Sud-Ouest américain (je pense notamment à la séquence où l'on voit York et Beaufort traverser le Rio Grande). Il est néanmoins frappant que la musique n'ait rien perdu de son caractère programmatique et redondant. Qu'en est-il de l'image ? Les compositions héroïques, silhouettant les cavaliers sur la ligne d'horizon, imposent leur grille à l'espace « réel », le structurent, l'obturent. Par un vif contraste, les scènes intimes pressent dans le cadre le couple des amoureux ingénus (interprétés par John Agar et Shirley Temple) en perpétuant, avec la complicité du noir et blanc, une plastique griffithienne.

Les cavaliers traversent l'image en diagonale ; au-dessus d'eux, le ciel vide, et au-dessus du vide, de lourds nuages très sombres, qu'on dirait peints (et ils le sont en quelque sorte, puisque l'« impression » de réalité n'opère ici que dans le sens chimique du mot : une autre pellicule ne ferait pas ressortir ces nuages de façon également dramatique). L'entrevue de York et d'un Apache se déroule dans une poussière dont la fantasmagorie n'a rien à envier au brouillard du *Mouchard.* Le procédé de la surimpression lui-même reparaît, faisant chevaucher le régiment mort comme il faisait revivre la famille galloise de *Qu'elle était verte ma vallée,* la famille allemande des *Quatre Fils* (1928).

Résumons : Ford reconstitue, jusque dans les extérieurs, un cadre formel aussi contraignant que celui des tympans et chapiteaux romans analysés par Jurgis Baltrusaitis dans *Formations, déformations.* Ce contrôle s'exerce tant par le biais du décor que par celui de la photo : composition des groupes (Pietà du *Mouchard* et de *Qu'elle était verte ma vallée* ; Nativité du *Fils du désert*), cadrage (l'héroïsation par la contre-plongée, dans *Qu'elle était verte ma vallée, Fort Apache, Le Sergent noir*), éclairage (la « manière noire » du *Long Voyage,* mais aussi de *La Dernière Fanfare,* de *Liberty Valance...*). Filmées en extérieur, les scènes nocturnes « intimisent » l'espace en même temps qu'elles l'« irréalisent » : on le vérifie dans *Le Fils du désert,* avec son clair de lune bleuté, mais aussi dans *Le Convoi des braves.* Quelques accessoires suffisent, à l'abri des chariots, à composer un « intérieur ». On rapprochera la scène du cimetière dans *L'Homme tranquille* : le couple qui s'étreint (John Wayne, Maureen O'Hara) y est cadré à l'intérieur d'une arche gothique, sur fond de ciel d'orage.

Il est à peine nécessaire de rappeler la constance du motif décoratif qu'on peut appeler l'« intérieur hollandais » et qu'Henri Agel, dans son bel *Art de la célébration,* rapproche de Mathieu Le Nain : motif pictural, fortement géométrisé, axé sur la table familiale, avec sa nappe à carreaux, sa disposition hiérarchique (la « tête » de la famille est située au sommet de la table et de l'image). Motif formellement immuable des *Quatre Fils* aux sept femmes de *Frontière chinoise,* la dernière œuvre, en passant par *Sur la piste des Mohawks, Qu'elle était verte ma vallée, L'Homme tranquille, Ce n'est qu'un au revoir* (*The Long Gray Line,* 1955)... *Frontière chinoise* marque d'ailleurs un retour au « théâtre intime » du *Kammerspiel*, bannissant pratiquement toute scène d'extérieur, toute ouverture sur une nature que nous n'apercevons jamais. Dans la seconde édition de son *John Ford* (1974), Philippe Haudiquet réhabilite, non sans perspicacité, les « films de chambre » *(Judge Priest, The Last Hurrah, Liberty Valance, 7 Women)* qu'il avait sous-estimés au profit des « films de plein air ».

Mais il faut aller plus loin, reconnaître que la nature elle-même est traitée en toile de fond, en décor artificiel. Les extérieurs paraissent peints : c'est vrai des nuages de *Fort Apache* comme auparavant de ceux des *Quatre Fils* ou de *Hurricane.* La référence picturale est omniprésente. On se souvient que le Technicolor bariolé de *La Charge héroïque* est imité de Frederic Remington ; il convient aussi de rappeler que le romantisme magique ou mystique de Palmer et de Friedrich inspire les paysages de *Qu'elle était verte ma vallée,* que Maureen O'Hara, sertie dans des extérieurs irlandais, est filmée dans une gamme chromatique qui accentue leur parenté commune avec la peinture préraphaélite (l'ouverture de *L'Homme tranquille*).

Conscient de la difficulté, voire de la vanité, de l'entreprise, Tag Gallagher s'efforce de distinguer entre deux expressionnismes : celui de Murnau, qui emprunte (notamment dans *Tabou*) la voie du réalisme, celui de Lang, plus schématiquement symbolique. Il montre bien ce que Ford doit à Murnau : la stylisation, le clair-obscur, le symbolisme également délicats de *L'Aurore* avaient frappé chacun à la Fox, influençant en particulier Borzage *(L'Heure suprême)* et Ford (*Les Quatre Fils,* qui réutilisent d'ailleurs les décors mêmes de *L'Aurore*). Très langien assurément, *Le Mouchard* n'est pas isolé dans l'œuvre de Ford ; des procédés langiens de montage métaphorique (commères qui caquettent) apparaissent encore dans *Qu'elle était verte ma vallée*. Dans cet expressionnisme, qu'il soit « langien » ou qu'il soit celui de Murnau dans *Le Dernier des hommes,* le cinéaste travaille directement sur un décor qu'il fabrique et qu'il contrôle ; dès cette époque, dès *La Patrouille perdue,* Ford saura en outre conformer le tournage en extérieur aux exigences de sa plastique, soumettre la nature elle-même, sans paraître lui faire violence, aux contraintes d'une esthétique volontariste.

Louis Le Nain : *Le Repas des paysans* (Louvre)

9. DIXIE

Steamboat Round the Bend, Le soleil brille pour tout le monde

La sympathie affichée de Ford pour la cause et l'idéologie nordistes, et notamment la fascination durable qu'exerce sur lui le personnage de Lincoln, vont de pair avec une active curiosité pour certains aspects du Vieux Sud. Le paradoxe est plus apparent que réel. On fera la part, en premier lieu, d'une tradition hagiographique qui voit en Lincoln non seulement le sauveur de l'Union, mais aussi le grand réconciliateur, celui qui — s'il avait vécu — aurait traité le Sud avec mansuétude et non avec la rigueur de la Reconstruction. *Je n'ai pas tué Lincoln* (*The Prisoner of Shark Island,* 1936) participe de cette tradition : le président victorieux demande à l'orchestre de jouer « Dixie », l'hymne sécessionniste. On ajoutera que Ford, qui consacre un film à la « jeunesse de Lincoln » (on y entend le futur prési-

Je n'ai pas pas tué Lincoln : Warner Baxter, Francis Ford au fond

dent jouer « Dixie » sur sa guimbarde), ne saurait manquer d'associer son héros à son terroir d'origine, l'Illinois, voire le Kentucky où il est né, c'est-à-dire à un territoire qui se situe, au XIXe siècle, sur une double frontière géographique, culturelle et idéologique, celle entre le Nord et le Sud, celle entre l'Est et l'Ouest.

A la veille de la guerre de Sécession, cette frontière se confond d'ailleurs avec le Mississippi : sur la rive gauche, l'Illinois ne connaît pas l'esclavage qui reste en vigueur sur la rive droite, dans le Missouri ; descendre le fleuve vers La Nouvelle-Orléans, c'est non seulement s'éloigner des perspectives de liberté offertes par le Nord abolitionniste, mais aussi se plonger dans le Sud profond, dans un système social et économique entièrement basé sur l'esclavage et où celui-ci est maintenu avec une extrême rigueur. Etre vendu « down the river », en descendant le Mississippi, constitue, pour l'esclave relativement privilégié du Missouri ou du Kentucky, un terrible châtiment, comme on le voit dans *Pudd'nhead Wilson* de Mark Twain ou dans *L'Esclave libre* de Robert Penn Warren et son adaptation cinématographique par Raoul Walsh.

Le rapprochement avec Mark Twain me semble éclairant. Le Sud qui a les faveurs de Ford est le même en somme que celui de Twain, soit le « Sud de la Frontière » (Missouri pour l'écrivain, Kentucky pour le cinéaste, c'est-à-dire deux États esclavagistes qui ne se résoudront pourtant pas à quitter l'Union), soit le fleuve même, mouvante frontière entre Nord et Sud, Est et Ouest. C'est un Sud populaire, pittoresque et satirique ; l'humour et l'esprit anarchique de l'Ouest y corrigent la révérence pour les valeurs aristocratiques qui sont censées définir le Vieux Sud. On est ici fort loin de l'idéal antidémocratique qu'incarne le Cavalier de Virginie, même si l'idéologie sudiste transparaît clairement dans le racisme paternaliste qui gouverne les rapports des Blancs avec les Noirs.

Steamboat Round the Bend (1935) partage plus d'un trait avec les classiques de Mark Twain : le goût du fleuve Mississippi et de la vie qui grouille sur ses rives et sur ses flots, le thème de l'innocent qu'on sauve in extremis d'une injuste condamnation, la peinture, comme vue par les yeux éblouis d'un enfant, d'une galerie de personnages bigarrés, bonimenteurs et prophètes, escrocs ou illuminés. Comme chez Twain encore, aux nombreux traits qui appartiennent en propre au Sud (air « Dixie » et mannequin de cire du général Lee, protestantisme prophétique et préjugé social contre les habitants du bayou) se mêlent quelques éléments venus de l'Ouest. Dans le musée de cire, les frères James évincent les figures de l'Ancien Testament, et le rôle du docteur John, le sage du film, est tenu par Will Rogers.

Cet ancien cow-boy de rodéo, originaire de l'Oklahoma, avait du sang indien et était passé maître dans l'art de manier le lasso. Il jouissait alors en Amérique d'une immense popularité, interprétant, à l'écran mais aussi à la ville, un personnage de philosophe familier, plein de flegme et de bon sens, impitoyable à toute affectation, résumant les vertus de l'homme de l'Ouest. Eileen Bowser, avec perspicacité, a noté son appartenance à « cette tradition américaine qui comprend Mark Twain... et même, en un sens, Abraham Lincoln ».

Il tourne dans des chroniques rurales ou provinciales *(Americana)* sous la direction de Clarence Badger (*Honest Hutch,* 1920), Frank Borzage, Henry King, James Cruze. Avant *Steamboat,* il interprète pour Ford les rôles-titres de *Doctor Bull* (1933) et de *Judge Priest* (1934). Il trouve la mort en 1935 dans un accident d'avion.

Vingt ans plus tard, Ford revient au personnage du juge Priest pour réaliser *Le soleil brille pour tout le monde* (*The Sun Shines Bright,* 1953), œuvre singulièrement subtile et attachante, qui était d'ailleurs une des préférées de son auteur. Nous sommes derechef dans le « Border South » ; l'action est située dans le Kentucky, au début du siècle. Dès les premières images, un décor familier est planté : le vaste fleuve (Mississippi ou Ohio), le bateau à haute cheminée qui ramène un enfant prodigue au pays, la levée sur laquelle un Noir insouciant joue du banjo, le monument aux morts de la Confédération... Derrière l'apparence nonchalante d'une série fortuite de faits divers, le scénario de Laurence Stallings entrelace très habilement trois récits principaux : la campagne que mène le juge en vue de sa propre réélection ; la quête, par l'héroïne Lucy Lee, de ses origines et de son identité ; l'accusation de viol qui pèse sur un jeune Noir et la tentative de lynchage dont il est victime.

Dans le rôle du bon juge, Charles Winninger a succédé à Will Rogers. Il est entouré de compagnons, comme lui tous anciens combattants (dans les rangs sudistes) de la « guerre entre les

Etats », comme lui tous soumis à réélection : le vieux médecin (Russell Simpson), le shérif et son adjoint, auxquels s'ajoutent un tailleur allemand et le serviteur noir du juge (Stepin Fetchit). L'atmosphère annonce celle de *La Dernière Fanfare,* et on pense d'abord s'acheminer vers la même conclusion que dans ce dernier film, c'est-à-dire vers la défaite du juge. Les rangs des anciens combattants sudistes, électorat « naturel » du juge, sont manifestement plus clairsemés que ceux des Nordistes, enclins à voter pour son « challenger » républicain, jeune et fort en gueule. Le juge apparaît d'ailleurs comme un homme seul, car ses compagnons semblent soit décatis (le docteur), soit ne pas briller par leur courage. On se prend ici à songer à la Dorothy du *Magicien d'Oz,* entourée de l'Epouvantail, du Lion couard et du Bûcheron de fer blanc. Et l'on trouve en effet, dans *The Sun* comme dans *Oz,* une parodie de ces épopées dont le héros — athlétique et valeureux — peut en outre compter sur le soutien de serviteurs dotés de pouvoirs surnaturels. Mais il est important aussi de voir que le juge partage avec Dorothy l'innocence et l'idéalisme : petit homme poupin, rond de corps, de tête, de nez, il témoigne d'un courage quotidien dont l'exercice lui inspire quelque frayeur rétrospective, et s'il boit du whisky, c'est non pour se « donner du courage », mais pour se « remettre le cœur en place » après avoir fait la preuve de sa tranquille bravoure.

Si la sociologie électorale et la pyramide des âges jouent contre la réélection du juge, les circonstances aggravent ce handicap face à la campagne grandiloquente et moralisatrice que conduit son adversaire, Maydew, originaire de Boston (où l'on retrouve la dénonciation fordienne du fanatisme puritain et de l'hypocrisie dont il est souvent le masque). Ces circonstances amènent en effet le juge d'une part à empêcher le lynchage du jeune U.S. Woodford, s'aliénant ainsi les sympathies et sans doute les votes des fermiers blancs de la circonscription ; d'autre part à organiser, avec la tenancière de la « maison Tellier » locale, les obsèques d'une ancienne prostituée revenue mourir au pays et à prendre la tête d'un cortège que les citoyens de Fairfield doivent nécessairement considérer comme une insulte aux bonnes mœurs.

Comme dans l'épopée, cependant, ou dans le conte de fées, les obstacles accumulés et presque infranchissables n'entament pas l'optimisme, réel ou affiché, du héros. Peu avant la clôture du scrutin, Priest accuse sur Maydew un retard de soixante-deux voix. Les lyncheurs de naguère votent, de manière unanime et inattendue, pour Priest, qui fait désormais jeu égal avec son adversaire. Mais Priest lui-même n'a pas voté : il emporte l'élection d'une voix : la sienne. Vainqueur, à la différence de Skeffington, sur le poteau, le trompette Priest n'en a pas moins sonné là, selon toute vraisemblance, sa « dernière fanfare » ; c'est le sentiment que donne, en particulier, l'abondance des scènes nocturnes. (On notera, après Gallagher, ce que la séquence finale a d'incongru. En pleine nuit, les Noirs qui offrent la sérénade au juge, chantent le soleil éclatant du Kentucky auquel il est fait allusion dans le titre du film : « The Sun Shines Bright on My Old Kentucky Home ».)

Le caractère musical de *The Sun* est d'abord marqué par la présence d'airs traditionnels, hymnes patriotiques ou chansons romanesques, que Ford affectionne, de toute évidence, à la fois en eux-mêmes et pour les associations historiques qu'ils suscitent. Ailleurs (comme dans *Rio Grande*), la sentimentalité des cow-boys chantants peut paraître sirupeuse ; au contraire, la pureté virile des chœurs gallois, dans *Qu'elle était verte ma vallée,* accentue la déchirure de la nostalgie, le sentiment d'une beauté à jamais insaisissable. De même, dans *Les Raisins de la colère,* une scène déjà poignante — celle où la mère, forcée de quitter le foyer familial, jette dans un brasero d'humbles souvenirs chargés de mémoire et de valeur affective — est rendue bouleversante par son accompagnement musical hors champ, la ballade « Red River » jouée à l'harmonica. Dans *Le soleil brille pour tout le monde,* le complexe entrelacs des thèmes musicaux, l'originalité de l'agencement à partir de matériaux folkloriques hétéroclites, suggère la comparaison avec les compositions de Charles Ives. On retrouve des airs mascottes de Ford, tels le sentimental « Genevieve », ici associé à Lucy Lee, à sa mère et au portrait de sa grand-mère, qu'on entendait déjà en conclusion de *Hell Bent* (1918), ou la polka « Golden Slippers », sur laquelle dansent les cadets et leurs partenaires comme avaient dansé Mary Todd aux bras du jeune Mr. Lincoln, Clementine Carter aux bras de Wyatt Earp (*La Poursuite infernale,* 1946).

Mais ce caractère vient aussi du rôle structural que jouent la musique — ou le bruitage — dans des séquences entières. L'exemple le plus évident, celui qui donne le ton, se situe au début du récit. Au tribunal, prié par le juge Priest de montrer ses talents de joueur de banjo, U.S. Woodford s'exécute, mais choisit d'abord maladroitement d'interpréter un air nordiste. Il rattrape bientôt ce faux pas en jouant « Dixie », l'hymne sudiste. L'harmonica de Jeff (Stepin Fetchit) se joint alors au banjo ; la tête en arrière, les jambes lancées en avant, Jeff se met à danser le cake-walk, tandis que les accents de « Dixie », se répandant à travers la petite ville, sèment la stupeur ou l'enthousiasme, attirent jusqu'au tribunal les partisans du juge. Priest à son tour a embouché le clairon, complétant le trio et mettant le comble à une scène qui, pour faire valoir un hymne « réactionnaire », n'en est pas moins de pure anarchie. (On rapprochera le génial trio de *Wagon Master* : Jane Darwell à la trompe, Francis Ford au tambour, un acolyte au fifre.)

Le travail du son est particulièrement apparent dans deux séquences ultérieures. La première est une scène d'anthologie. L'arrivée des lyncheurs est montrée par la combinaison d'une suite visuelle de « plans de réaction » et de sons hors champ. Les images des Noirs de la ville, que nous voyons cesser subitement de vaquer à leurs tranquilles occupations, nous font partager leur affolement à l'approche d'un danger d'autant plus terrible qu'il est pour nous invisible. Mais nous entendons (hors champ) les coups de fusil des Blancs et surtout les aboiements des limiers lancés aux trousses de U.S. Woodford, ces aboiements qui désignent et résument la violence essentiellement et objectivement liée à la tradition sudiste. Les chiens qui accompagnaient les contremaîtres des plantations, forçant l'esclave échappé à se réfugier, tel un raton laveur *([rac]coon),* dans un arbre, continuent, en plein XXe siècle, à figurer auprès des shérifs du Sud profond, de *Je suis un évadé* au *Fils du pendu.* Dans son admirable adaptation de Tennessee Williams, *L'Homme à la peau de serpent* (*The Fugitive Kind,* 1959), Sidney Lumet reprend le procédé fordien, donne à deviner la mort d'un fuyard peut-être innocent grâce aux aboiements et au coup de feu présents sur la seule bande-son.

Plus impressionnante encore par sa longueur, sinon plus spectaculaire, est la scène des funérailles. Au cortège de la femme déchue, d'abord constitué du seul juge Priest et d'une calèche de prostituées, viennent se joindre, peu à peu, l'ancien combattant nordiste Jody Habersham, les compagnons habituels de Priest, puis tout ce que la ville compte de marginal ou d'anticonformiste, enfin Lucy Lee et son chevalier servant Ashby Corwin... Six minutes entièrement dépourvues de dialogue (la procession funéraire a interrompu Maydew au milieu d'une philippique, le réduisant au silence) et de musique, ponctuées par le bruit régulier que font les roues des deux voitures (le corbillard et la calèche), les sabots des chevaux, les pas, de plus en plus nombreux, des membres du cortège.

Ce film musical est aussi un film poétique (il faudrait détailler la beauté de telle image, comme celle de la mère de Lucy Lee cadrée sur fond de fleuve nocturne, avec le sillage laissé par le bateau qui s'éloigne, puis les reflets de la lune sur les vagues) et surtout un film évangélique, dans le sens où il reprend le grand thème, cher à Ford, du premier christianisme, d'un monde moral dont la hiérarchie est souvent l'inverse même de celle que connaît et reconnaît la société. Les rapports de Priest avec Mallie Cramp, le soin qu'il prend des funérailles, ne rappellent-ils pas ceux du Christ avec Marie-Madeleine ? Ce n'est pas seulement en raison du nom qu'il porte que le juge campe un personnage, à certains égards, christique. Aux obsèques de la prostituée, il cite l'épisode de la femme adultère, tiré de l'Evangile de saint Jean, avec sa mention de Jésus « écrivant sur le sol » sans paraître répondre aux questions de ceux qui voudraient, conformément à la loi de Moïse, condamner la pécheresse. Ce récit fait en outre une rime intérieure avec la tentative de lynchage, puisque Priest avait alors tracé sur le sol la ligne que nul ne devait franchir, sous peine d'être tué par lui. Ce caractère évangélique, ou paradoxal, se retrouve, avec un brin d'humour, dans la victoire électorale du juge. Un des derniers représentants d'une armée vaincue, il triomphe pourtant ; lui qui n'a pas hésité à placer son sentiment intime de l'honneur et de la charité avant la respectabilité, reçoit l'hommage de tous les corps constitués de la ville ; lui qui « se remet le cœur en place » grâce à son cruchon de whisky voit défiler, pour saluer sa victoire, un bataillon de la ligue féminine antialcoolique.

Personnage tutélaire, se présentant comme le candidat du respect du droit et de l'ordre public, Priest intègre pourtant, à l'évidence, une composante anarchique ; il préférerait assurément un désordre à une injustice. Mais en lui, le « rebelle » sudiste a dépouillé sa morgue aristocratique, sa théâtralité, sa grandiloquence. Son exigence de liberté est intériorisée, éthique, familière, presque franciscaine. Parmi les personnages qui l'entourent et qui incarnent divers types de l'Amérique traditionnelle, il est clair d'ailleurs que sa sympathie, comme celle de Ford, doit aller moins aux figures assez convenues de Cavaliers sudistes (le général tout de soie vêtu, Ashby Corwin et sa silhouette de gravure de mode) qu'à celle de l'ivrogne, habillé à la Davy Crockett, qu'il appelle son « frère », son « camarade Finney ». Francis Ford (né Feeney), frère du réalisateur, trouve ici son dernier rôle, dans cette interprétation d'un esprit faunesque, Boudu du Vieux Sud-Ouest, homme sauvage, rebelle aux conventions sociales, mais aussi fin tireur qui, tuant d'un coup de carabine le vrai coupable du viol, exécute en somme, de manière économique, la sentence qu'avait implicitement prononcée le juge.

10. SHAKESPEARE A TOMBSTONE

La Poursuite infernale

Dès 1947, Peter Ericsson, dans un article de *Sequence,* notait à très juste titre l'usage que fait John Ford des chansons populaires : « Red River Valley » dans *Les Raisins de la colère,* « I Dream of Jeannie » dans *Stagecoach*, « My Darling Clementine » dans le film du même titre, rebaptisé en français, de façon non seulement inexacte, mais surtout banale et inappropriée, *La Poursuite infernale* (1946). Dans l'emploi de ce thème musical familier et dans son association avec le personnage de Clementine Carter (Cathy Downs), il entre une bonne part de nostalgie sentimentale, mais aussi quelque ironie : il convient en effet de prendre à la lettre les paroles de la chanson et d'en lier le leitmotiv moins à Clementine « en tant que telle » qu'à la manière dont elle est perçue et idéalisée par Wyatt Earp (Henry Fonda). Cette distinction n'est peut-être pas inutile au moment d'aborder la discussion d'un film qui offre un si vaste champ à l'analyse structurale. S'il est important de dégager quelques-unes des oppositions binaires qui de fait structurent *My Darling Clementine,* il l'est davantage encore de mesurer ce que ces oppositions ont (aux yeux de Ford lui-même) de schématique, réducteur, voire trompeur, et de s'aviser qu'elles demandent avec insistance à être nuancées.
Le titre, la chanson, le personnage de Clementine contrastent avec l'univers masculin du western, l'intrigue fondée sur le célèbre règlement de comptes à O.K. Corral, le personnage du shérif. Bostonienne, Clementine s'oppose à Wyatt Earp, l'homme de l'Ouest, en route vers la Californie. Infirmière, puis maîtresse d'école, elle incarne un principe civilisateur, où les Earp maintiennent l'ordre en ayant recours à la violence, fût-elle légitime. La consécration de la future église de Tombstone prend une forme musicale qui entraîne Clem et Wyatt dans une polka endiablée, signifiant l'union, dans leur couple pionnier, de qualités moins antithétiques que complémentaires : l'Est et l'Ouest, le féminin et le masculin, la grâce et la force... On n'exagérera pourtant pas cette opposition. Sous ses allures

La Poursuite infernale : Le clan Earp à O.K. Corral

respectables, voire nunuches, Clementine Carter fait preuve de qualités qu'on pourrait dire masculines, notamment d'une volonté de fer, tandis qu'à son contact le rude cow-boy se mue en soupirant timide et même en bellâtre gominé et parfumé.

La remarque vaut aussi pour les deux personnages féminins. Quoi de plus tentant que d'opposer à la blonde Clementine la brune Chihuahua (Linda Darnell), à l'Anglo-Saxonne la Mexicaine, à la vierge consolatrice la prostituée sensuelle et amorale ? La lecture manichéenne exige au moins deux correctifs. Toute en rondeurs souples, vêtue d'une robe espagnole à volants, chantant « From under a broad sombrero », Chihuahua témoigne d'une sensualité épanouie où la Bostonienne est raide et plate. En deuxième lieu, leur rivalité sert justement à indiquer ce que les deux femmes ont en commun : elles sont amoureuses du même homme, Doc Holliday (Victor Mature) ; rejetées par lui, elles réagissent de façon comparable en se procurant l'une et l'autre un nouveau « protecteur ». Il est vrai que cette ressemblance à son tour rétablit les stéréotypes initiaux, puisque la Mexicaine « déchoit » en passant de Doc à Billy Clanton, tandis que Clem « s'élève » de Doc à Wyatt

Earp. Le parallélisme n'en est pas moins insistant, d'autant qu'il est souligné par une reprise structurale. Quand Doc Holliday présente Chihuahua à Wyatt Earp, celui-ci répond « Nous nous sommes déjà rencontrés » ; la scène se répète lorsque Doc présente Clem au shérif.

On notera, dans le même ordre d'idées, le parallélisme frappant entre les Earp et les Clanton. Aucun doute, ceux-là sont bons, ceux-ci méchants ; mais le sentiment d'appartenir à un « clan » est aussi fort chez les uns et les autres, aussi forte la dévotion à un patriarche également sacralisé, soit que son absence le mythifie (« Pa Earp »), soit que l'interprétation de Walter Brennan (et l'expressionnisme de la photo) le composent en puissante figure satanique (« Old Man Clanton »).

Cette symétrie détermine une ambiguïté : représentant de l'ordre, Wyatt Earp est-il le pionnier qui, en dansant avec Clem, accomplit le rite fondateur non seulement d'une famille, mais d'une communauté civilisée ? ou cherche-t-il simplement à venger l'assassinat de son frère Jim par les Clanton ? Le vieux diacre et violoneux qui ouvre le bal (Russell Simpson) a conscience de participer à un acte social, institutionnel, lorsqu'il accueille, dans un style archaïsant, « notre nouveau shérif et sa belle dame » ; mais à la veille du règlement de comptes, Earp récuse son aide et celle du maire de Tombstone : l'affaire est, dit-il, strictement privée, « familiale ». Il est vrai qu'en un sens, Ford propose ici, d'une manière qu'on pourrait presque dire allégorique, un lien entre la motivation individuelle et la fonction collective du maintien de l'ordre : c'est parce que Wyatt Earp, homme tranquille, profondément pacifique, n'arrive pas à se faire raser sans essuyer des coups de feu, ni à jouer au poker sans être victime de tricherie, qu'il pourrait être amené à reprendre du service comme shérif (Gallagher pousse l'interprétation allégorique jusqu'à voir dans le film une parabole sur l'intervention des Etats-Unis — Wyatt Earp — dans les deux guerres mondiales successives — Dodge City, Tombstone).

Quoi qu'il en soit, l'équivoque subsiste jusque dans le finale pudique et gauche, à l'instar du héros, qui plante sur la joue de Clem un baiser maladroit (il paraît que dans une première version, qui fit rire, il se bornait à lui serrer la main) : on ne sait trop s'il faut comprendre avec Gallagher que Clementine est, selon les paroles de la chanson, « perdue à jamais », le héros poursuivant, après cet intermède, sa route solitaire à travers le désert, ou plus simplement que leur séparation est provisoire et qu'ils tiendront en effet les promesses de la polka « Golden Slippers ».

Parmi les personnages habituels du western, cow-boys et voleurs de bétail, shérifs et badmen, joueurs professionnels et entraîneuses de saloon, deux font figure d'étrangers, même s'ils appartiennent aussi à des types : la jeune femme venue de l'Est (peu importe en l'occurrence qu'il s'agisse, comme ici, de la Nouvelle-Angleterre ou au contraire, comme pour la Lucy Mallory de *Stagecoach*, de la Virginie) ; le comédien ambulant, lui aussi dépositaire d'une culture identifiée à l'Est, voire à l'Europe. Fondé sur la réalité historique des tournées effectuées dans le Far West par des acteurs célèbres ou moins célèbres, le thème a séduit par les effets qu'il permettait de juxtaposition pittoresque ou incongrue, de contraste culturel. Il constitue un pendant ou une réplique à celui de l'homme sauvage exhibé dans les salons ou les fêtes foraines des métropoles européennes. Le juge Roy Bean reçoit la visite de Lillie Langtry, diva et maîtresse du prince de Galles. Une représentation de *La Dame aux camélias* fait saisir au public de Lincoln, Nebraska, le sens du luxe et du raffinement (*My Antonia* de Willa Cather). On joue *Mazeppa* ou *La Belle Hélène* en portant casques et cuirasses, péplums multicolores qui deviendront la proie des Indiens et feront leur joie dans un bref délire bariolé (*La Diablesse en collant rose* de George Cukor).

Dans *My Darling Clementine*, on pense d'abord avoir affaire, avec le personnage qui répond au nom grandiloquent de Granville Thorndyke, à quelque cabotin spécialisé dans le mélodrame à la Boucicault. L'affiche annonce *Le Serment du bagnard* ; dans une salle enfumée, le public qui attend en vain d'applaudir l'acteur compose une image saturée, grouillant d'une vie caricaturale à la Hogarth. Pourtant Ford va jouer d'un contraste encore plus grand entre l'acteur et son audience. Debout sur une table de saloon, devant un public moins reluisant encore (des Mexicains, les Clanton), Thorndyke (Alan Mowbray) récite non quelque extrait d'un mélodrame victorien, mais la tirade « To be or not to be » d'*Hamlet*. Tirade au message existentiel si fondamental qu'elle ne saurait guère manquer d'être en situation ; elle l'est ici doublement, et même davantage. Posant la question de l'attitude qu'il faut adopter à l'égard du mal et de l'adversité, elle résume, en une saisissante mise en abyme, l'alternative qu'incarnent les personnages de Wyatt Earp et John Holliday : la conduite active du redresseur de torts est-elle préférable au « rêve » suicidaire, à la conduite de fuite de Doc ? Elle dramatise en outre la déchéance de celui-ci (Doc supplée à la mémoire défaillante de Thorndyke, mais il est bientôt interrompu par une quinte de toux tuberculeuse) en établissant un lien entre deux personnages cultivés, mais alcooliques et infidèles aux promesses de leur éducation. Elle confère simultanément à Thorndyke lui-même un statut symbolique. Sa silhouette pittoresque de cabotin ivrogne est étoffée jusqu'à acquérir une sorte de dignité qui justifie presque ses manières pompeuses. Apostrophé par les Clanton, qui le traitent de « Yorick » (le bouffon du roi), Thorndyke se venge et récite le monologue comme si Shakespeare avait eu leur gang à l'esprit en stigmatisant « l'insolence des puissants ».

Mowbray retrouvera dans *Le Convoi des braves* (1950) un rôle de bonimenteur et charlatan ambulant face à un gang familial (les Clegg) dont la noirceur n'a rien à envier à celle des Clanton.

Quant à la référence à *Hamlet,* on notera qu'elle est fort loin d'être unique, la pièce de Shakespeare (la plus jouée, sans doute, de son auteur) ayant constamment fasciné, de Richard Burbage et David Garrick à John Barrymore et Laurence Olivier, les hommes de théâtre et de cinéma, sans oublier au moins une actrice (Sarah Bernhardt) et naturellement les peintres et portraitistes (Fuseli, Delacroix...). On rappellera pour mémoire l'emploi qu'en fait Lubitsch dans *Jeux dangereux (To Be or Not to Be,* 1942), empruntant à l'illustre tirade le titre de son film et détournant à des fins vaudevillesques ce texte dramatique par excellence : en commençant à le déclamer, le mari donne à l'amant de sa femme le signal de la rejoindre. La satire affectueuse des comédiens et cabotins inclut un aspect autobiographique, car Lubitsch, à travers le personnage fictif de Joseph Tura, vise Alexander Moissi, qui s'identifia sa vie durant au rôle d'Hamlet et le joua notamment pour Max Reinhardt, tandis que le jeune Lubitsch se contentait d'être deuxième fossoyeur, quittant la scène avant que soit déterré le crâne de ce « pauvre Yorick ».

La fascination pour *Hamlet* n'a pas épargné Ford. Gallagher montre une photo d'un film perdu, *Upstream* (1927) : on y voit

Earle Fox dans le rôle du prince de Danemark, tête de mort à la main, devant une toile peinte décorée notamment d'une croix irlandaise. A Peter Bogdanovich, Ford décrivit une scène coupée de *Vers sa destinée* : devant le théâtre dont l'affiche annonce la famille Booth dans *Hamlet*, John Wilkes Booth jette un regard de commisération satisfaite sur l'avocat impécunieux qui passe sur sa mule — le jeune Lincoln, sa future victime.

D'autres encore ont partagé cet intérêt ; je me bornerai à évoquer Chaplin, dont le Roi à New York récite la même tirade « Etre ou ne pas être » devant l'aguichante Dawn Addams et la caméra invisible ; et l'Allemand Dupont, dont l'admirable *Baruch* (1923), histoire d'un jeune juif déchiré entre sa vocation de comédien et la foi traditionaliste de sa famille, utilise, en mise en abyme, tant *Don Carlos* de Schiller qu'*Hamlet* (Baruch, inopinément invité à faire ses débuts sur scène le soir de Yom Kippur, doit choisir entre la religion juive et celle du théâtre ; aussi le monologue d'Hamlet exprime-t-il simultanément le dilemme et le désarroi de son interprète).

Concluons. S'il est vrai que La Fontaine, selon le mot de Giraudoux, est notre Homère, Ford n'est-il pas, en quelque mesure, le Shakespeare américain ? La trilogie sur la Cavalerie, et surtout ce qu'on pourrait qualifier de « trilogie sur Lincoln », c'est-à-dire *Le Cheval de fer, Vers sa destinée* et l'épisode « La Guerre civile » de *La Conquête de l'Ouest,* constituent la partie la plus profondément nationale de l'œuvre, comparable aux pièces historiques de Shakespeare. Ford, à l'instar du dramaturge anglais, pratique les genres les plus divers, et ne craint nullement de les mélanger, cédant aussi volontiers à la tentation d'une scène comique que Shakespeare à celle d'un calembour. On a désigné Orson Welles « le plus shakespearien des cinéastes » ; cela me paraît discutable. Est en cause non le génie de Welles, mais la nature de ce génie, théâtral, truculent et généreux, mais non dépourvu de narcissisme, où Shakespeare et Ford, dramaturges foisonnants, s'effacent derrière les créations de leur inépuisable imagination. Que sait-on de Shakespeare ? Pour citer (de mémoire) Jean Domarchi, qu'il aimait les chats et les femmes nommées Kate. Que sait-on de Ford ? Que c'était un Irish American irascible, qui faisait des westerns.

On a pu rapprocher tels films de Lubitsch de pièces de Shakespeare (par exemple, *Rendez-vous* du *Roi Lear, La Folle Ingé-*

nue de *La Tempête*). Il en va de même pour Ford. C'est ainsi que Lindsay Anderson, à propos de *La Taverne de l'Irlandais* (l'antépénultième de la filmographie), évoque le dernier Shakespeare, une intrigue fantasque, le thème du conflit et de la réconciliation dans un milieu isolé du monde : manière de signaler qu'en effet *Donovan's Reef,* à l'instar de *La Tempête* et du *Conte d'hiver,* participe en quelque façon du genre féerique de la « romance ». On pourrait mentionner encore le goût de Ford pour la danse et la musique (y compris dans leurs aspects populaires et sentimentaux), qui est un peu l'équivalent de celui de Shakespeare pour le « masque ». Dramaturges, toujours leur sens du spectacle, mais d'abord du conflit, l'emporte sur leurs propres préférences idéologiques, qui sont malaisées à cerner dans l'œuvre. Ou plus exactement, en véritables dramaturges, ils voient l'un et l'autre toutes les faces — les plus contradictoires — d'une question, et sont susceptibles, avec la même éloquence, de justifier la monarchie et le tyrannicide, d'exprimer la révérence due au passé et l'éclatante sensualité de la jeunesse, de dire les valeurs de la tradition et le devoir de rébellion, d'affirmer la nécessité de maintenir l'Union et d'exalter l'esprit frondeur du Vieux Sud-Ouest.

Qu'ils soient des auteurs incontestés signifie non pas qu'ils aient travaillé dans l'isolement (les interventions plus ou moins intempestives des studios hollywoodiens rappellent les interpolations de l'époque élisabéthaine, et l'on discute aujourd'hui encore si telle scène de *Macbeth* est de Shakespeare ou de Middleton), mais que leur langue, leur écriture est immédiatement reconnaissable. Objectera-t-on qu'à la différence de Shakespeare, Ford n'écrivait pas ses scénarios, qu'il n'est donc pas un « auteur » selon la définition de Mankiewicz ? C'est oublier d'abord que Shakespeare, comme l'a noté Sirk, vaut bien davantage par la langue que par l'intrigue ; ensuite, que, pareil à nombre d'auteurs dramatiques, il n'a eu aucun scrupule à s'approprier les canevas de ses prédécesseurs et autres chroniqueurs ; enfin et surtout, que Ford, comme tout grand cinéaste, écrit avec sa caméra et non avec la langue anglaise. Mais c'est bien une écriture fordienne qui nous donne à voir, à penser, à nous émouvoir, comme le fait, sur la scène du théâtre, la langue shakespearienne.

BIOGRAPHIE

John Martin Feeney, qui prendra le pseudonyme de John Ford, est né le 1er février 1894 à Cape Elizabeth (Maine), de parents irlandais. La date de 1895, les états civils complaisamment répandus (Sean Aloysius O'Fearna) sont fantaisistes. Son père tenait un bar. Après des études secondaires médiocres, John se rend en Californie en 1914. Il y rejoint son frère Francis, acteur et réalisateur de cinéma, dont il devient l'assistant, accessoiriste ou caméraman, et sous la direction duquel il joue de petits rôles. Il met en scène son premier film, *The Tornado,* en 1917. Une rencontre décisive est celle de Harry Carey, star du western, qui tourne avec Ford vingt-cinq films, dont *Le Ranch Diavolo* et *Du sang dans la prairie*. En 1921, Ford quitte l'Universal pour la Fox. Il réalise deux grandes productions avec *Le Cheval de fer* (1924) et *Les Quatre Fils* (1928). En 1927, il préside l'Association des Réalisateurs. Pendant les années trente, il tourne pour la Fox des œuvres populaires, à saveur folklorique (par exemple *Judge Priest, Steamboat Round the Bend),* mais aussi, pour la RKO, des films de prestige, aux ambitions artistiques affirmées, comme *La Patrouille perdue, Le Mouchard* (qui lui vaut son premier Oscar), *Mary Stuart.* En 1939-41, il est au sommet de sa carrière avec une série de succès à la fois commerciaux et critiques : *La Chevauchée fantastique, Vers sa destinée, Les Raisins de la colère,* d'après Steinbeck (deuxième Oscar), *Le Long Voyage, Qu'elle était verte ma vallée* (Oscar). Lorsqu'il ne tourne pas, il effectue de longues croisières à bord de son voilier, l'Araner.

Pendant la Seconde Guerre mondiale, Ford est responsable du Service cinématographique de l'O.S.S. (les services spéciaux américains, ancêtres de la C.I.A.), qu'il a lui-même conçu et créé. Il réalise des documentaires de propagande, notamment *The Battle of Midway* (1942) et *December 7th.* Blessé lors de la bataille de Midway, il participe à de nombreuses missions de reconnaissance photographique en Afrique du Nord, en Inde et en Chine, en Normandie... Quoiqu'il ne s'agisse pas d'un documentaire, *Les Sacrifiés* (1945) constituent aussi un témoignage sur le conflit mondial tel que l'a vécu Ford.

Après la guerre, s'il continue à connaître le succès, il n'est plus au premier rang des réalisateurs qui jouissent de la faveur critique. Son image tend à se figer en celle d'un auteur de westerns, avec ce que cela comporte d'anti-intellectuel. Il réalise *La Poursuite infernale* (1946), puis fonde sa propre compagnie de production, Argosy Pictures (1946-1956), revenant d'abord au film de prestige avec *Dieu est mort* (d'après Graham Greene), tourné au Mexique, puis signant une série de westerns, la plupart avec John Wayne : *Le Massacre de Fort Apache, Le Fils du désert, La Charge héroïque, Le Convoi des braves... L'Homme tranquille,* comédie tournée en Irlande, lui apporte son dernier Oscar (1952). De la période Argosy, on citera encore *Le soleil brille pour tout le monde* (1953) ; *La Prisonnière du désert* (1956) deviendra, pour les admirateurs du cinéaste, le plus grand de ses westerns.

En 1950, en pleine chasse aux sorcières, Ford s'est opposé à Cecil B. DeMille, qui voulait épurer la Guilde des Réalisateurs et notamment son président, Joseph Mankiewicz, suspect de sympathies progressistes. Malgré cette prise de position courageuse, et certains antécédents eux-mêmes progressistes, Ford se trouve, de façon croissante, en porte-à-faux avec l'intelligentsia de son temps, et passe pour le chantre inconditionnel des valeurs conservatrices : armée, famille, patrie. Il est un des rares à défendre publiquement l'intervention américaine au Vietnam. La dernière partie de sa carrière ne fait pas l'unanimité. Des westerns encore, *Le Sergent noir, L'Homme qui tua Liberty Valance, Les Cheyennes* parurent (à tort) prendre mécaniquement le contre-pied de ceux de la production Argosy. A partir de 1958, plusieurs œuvres frappent par leur caractère mélancolique et introspectif : *La Dernière Fanfare, Liberty Valance, Les Cheyennes, Frontière chinoise* (1965). Seule, *La Taverne de l'Irlandais* manifeste, dans cet ensemble sombre, un élément de farce et de fantaisie qui renoue avec l'esprit de *L'Homme tranquille.*

Le 31 mars 1973, Ford est promu par Nixon au rang d'amiral et reçoit, pour l'ensemble de sa carrière, le premier Prix spécial de l'American Film Institute. Le 31 août, il meurt d'un cancer dans sa maison de Palm Desert (Californie).

FILMOGRAPHIE

Vu l'ampleur de l'œuvre de John Ford (138 films !), il n'était pas question de proposer dans cette filmographie, conformément à l'usage de la collection, un résumé et un commentaire de chaque film. Quelques informations ont été ajoutées aux génériques quand elles paraissaient nécessaires. Mais on se reportera à l'essai pour la description et l'analyse des œuvres principales.

Seuls figurent les films mis en scène par John Ford (il signe « Jack Ford » jusqu'à *Three Jumps Ahead*, 1923). Tous les films sont muets jusqu'au *Costaud* compris (*Strong Boy,* 1929), à la seule exception près de *Napoleon's Barber* (1928).

The Tornado (1917)

Prod. : 101 Bison
Scén. : Ford
Dist. : Universal
Durée : 2 bobines

Int. : Ford *(Jack Dayton),* Jean Hathaway *(sa mère),* John Duffy *(Slick),* Peter Gerald *(Pendleton),* Elsie Thornton *(Bess),* Duke Worne *(Lesparre).*

Aucune copie connue.

The Trail of Hate (1917)

Prod. : 101 Bison
Scén. : Ford
Dist. : Universal
Durée : 2 bobines

Int. : Ford *(lieutenant Jack Brewer),* Duke Worne *(capitaine Dana Holden),* Louise Granville *(Madge),* Jack Lawton.

Aucune copie connue.

The Scrapper (1917)

Prod. : 101 Bison
Scén. : Ford

Images : Ben Reynolds
Dist. : Universal
Durée : 2 bobines

Int. : Ford *(Buck Logan),* Louise Granville *(Helen Dawson),* Duke Worne *(Jerry Martin),* Jean Hathaway *(Martha Hayes).*

Aucune copie connue.

Pour son gosse (1917)
The Soul Herder

Prod. : 101 Bison
Scén. : George Hively
Images : Ben Reynolds
Dist. : Universal
Durée : 3 bobines

Int. : Harry Carey *(Cheyenne Harry),* Jean Hersholt *(Pasteur),* Elizabeth Jones *(Mary Ann),* Fritzi Ridgeway *(June Brown),* Vester Pegg *(Topeka Jack),* Hoot Gibson *(Chuck Rafferty),* Bill Gettinger *(Bill Young),* Duke Lee, Molly Malone.

Aucune copie connue.

Cheyenne's Pal (1917)

Prod. : Universal
Scén. : Charles J. Wilson, Jr., d'ap. un sujet de Ford
Images : Friend F. Baker
Durée : 2 bobines

Int. : Harry Carey *(Cheyenne Harry),* Jim Corey *(Noisy Jim),* Gertrude Astor *(entraîneuse),* Vester Pegg, Steve Pimento, Hoot Gibson, Bill Gettinger, Ed Jones (*cow-boys*).

Aucune copie connue.

Le Ranch Diavolo (1917)
Straight Shooting

Prod. : Universal Butterfly
Scén. : George Hively
Images : George Scott
Durée : 68 mn.

Int. : Harry Carey *(Cheyenne Harry),* Molly Malone *(Joan Sims),* Duke Lee *(Thunder Flint),* Vester Pegg *(Placer Fre-*

mont), Hoot Gibson *(Sam Turner),* George Berrell *(Sweetwater Sims),* Ted Brooks *(Ted Sims),* Milt Brown *(Black-Eyed Pete).*

L'Inconnu (1917)
The Secret Man

Prod. : Universal Butterfly
Scén. : George Hively
Images : Ben Reynolds
Durée : 5 bobines

Int. : Harry Carey *(Cheyenne Harry),* Morris Foster *(Harry Beaufort),* Elizabeth Jones *(son enfant),* Steve Clemente *(Pedro),* Vester Pegg *(Bill),* Elizabeth Sterling *(Molly),* Hoot Gibson *(Chuck Fadden),* Bill Gettinger.

Aucune copie connue.

A Marked Man (1917)

Prod. : Universal Butterfly
Scén. : George Hively, d'ap. un sujet de Ford
Images : John W. Brown
Durée : 5 bobines

Int. : Harry Carey *(Cheyenne Harry),* Molly Malone *(Molly Young),* Harry Rattenbury *(Young),* Vester Pegg *(Kent),* Mrs. Townsend *(mère de Harry),* Bill Gettinger *(shérif),* Hoot Gibson.
Remake par Edward Feeney, frère de Ford : *Under Sentence* (1920).

Aucune copie connue.

A l'assaut du Boulevard (1917)
Bucking Broadway

Prod. : Harry Carey pour Universal Butterfly
Scén. : George Hively
Images : John W. Brown
Durée : 5 bobines

Int. : Harry Carey *(Cheyenne Harry),* Molly Malone *(Helen Clayton),* L.M. Wells *(Ben Clayton),* Vester Pegg *(capitaine Thornton).*

Aucune copie connue.

Le Cavalier fantôme (1918)
The Phantom Riders

Prod. : Harry Carey
Scén. : George Hively, d'ap. un sujet de Henry McRae
Images : John W. Brown
Dist. : Universal
Durée : 5 bobines

Int. : Harry Carey *(Cheyenne Harry),* Molly Malone *(Molly),* Buck Connor *(Pebble),* Bill Gettinger *(Dave Bland),* Vester Pegg *(chef des Cavaliers fantômes),* Jim Corey *(contremaître).*

Aucune copie connue.

La Femme sauvage (1918)
Wild Women

Prod. : Harry Carey
Scén. : George Hively
Images : John W. Brown
Dist. : Universal
Durée : 5 bobines

Int. : Harry Carey *(Cheyenne Harry),* Molly Malone *(la princesse),* Martha Maddox *(la reine),* Vester Pegg, Ed Jones, E. Van Beaver, W. Taylor.

Aucune copie connue.

Thieves' Gold (1918)

Prod. : Universal
Scén. : George Hively
Images : John W. Brown
Dist. : Universal
Durée : 5 bobines

Int. : Harry Carey *(Cheyenne Harry),* Molly Malone *(Alice Norris),* L.M. Wells *(Savage),* Vester Pegg *(Simmons),* Harry Tenbrook, M.K. Wilson, Martha Maddox.

Aucune copie connue.

La Tache de sang (1918)
The Scarlet Drop

Prod. : Universal
Scén. : George Hively, d'ap. un sujet de Ford

Images : Ben Reynolds
Durée : 5 bobines

Int. : Harry Carey *(Kaintuck Cass)*, Molly Malone *(Molly Calvert)*, Vester Pegg *(capitaine Calvert)*, M.K. Wilson *(Graham Lyons)*, Betty Schade, Martha Maddox, Steve Clemente.

Aucune copie connue.

Du sang dans la prairie (1918)
Hell Bent

Prod. : Universal
Scén. : Ford, Harry Carey
Images : Ben Reynolds
Métrage : 1. 737 m.

Int. : Harry Carey *(Cheyenne Harry)*, Neva Gerber *(Bess Thurston)*, Duke Lee *(Cimarron Bill)*, Vester Pegg *(Jack Thurston)*, Joseph Harris *(Beau)*, M.K. Wilson, Steve Clemente.

Aucune copie connue.

Le Bébé du cow-boy (1918)
A Woman's Fool

Prod. : Universal
Scén. : George Hively, d'ap. le roman d'Owen Wister : *Lin McLean*
Images : Ben Reynolds
Durée : 60 mn.

Int. : Harry Carey *(Lin McLean)*, Betty Schade *(Katy)*, Roy Clark *(Tommy Lusk)*, Molly Malone *(Jessamine)*.

Aucune copie connue.

Le Frère de Black Billy (1918)
Three Mounted Men

Prod. : Universal
Scén. : Eugene B. Lewis
Images : John W. Brown
Durée : 6 bobines

Int. : Harry Carey *(Cheyenne Harry)*, Joe Harris *(Buck Masters)*, Neva Gerber *(Lola Masters)*, Harry Carter *(fils du directeur)*, Ella Hall.

Aucune copie connue.

Sans armes (1919)
Roped

Prod. : Universal
Scén. : Eugene B. Lewis
Images : John W. Brown
Durée : 6 bobines

Int. : Harry Carey *(Cheyenne Harry),* Neva Gerber *(Aileen Judson Brown),* Molly McConnell *(Mrs. Judson Brown),* J. Farrell MacDonald *(maître d'hôtel),* Arthur Shirley *(Ferdie Van Duzen).*

Aucune copie connue.

The Fighting Brothers (1919)

Prod. : Universal
Scén. : George Hively, d'ap. un sujet de George C. Hull
Images : John W. Brown
Durée : 2 bobines

Int. : Peter Morrison *(shérif Peter Larkin),* Hoot Gibson *(Lonnie Larkin),* Yvette Mitchell *(Conchita),* Jack Woods *(Ben Crawley),* Duke Lee *(Slim).*

Aucune copie connue.

A la Frontière (1919)
A Fight for Love

Prod. : Universal
Scén. : Eugene B. Lewis
Images : John W. Brown
Durée : 6 bobines

Int. : Harry Carey *(Cheyenne Harry),* Joe Harris *(Black Michael),* Neva Gerber *(Kate McDougall),* Mark Fenton *(Angus Mc Dougall),* J. Farrell MacDonald *(prêtre),* Princess Neola Mae *(Little Fawn),* Chief Big Tree *(Swift Deer).*

Aucune copie connue.

By Indian Post (1919)

Prod. : Universal
Scén. : H. Tipton Steck, d'ap. la nouvelle de William Wallace Cook « The Trail of the Billy-Doo »
Durée : 2 bobines

Int. : Pete Morrison *(Jode McWilliams)*, Duke Lee *(Pa Owens)*, Magda Lane *(Pete Owens)*, Ed Jones *(Stumpy)*, Jack Woods *(Dutch)*, Harley Chambers *(Fritz)*, Hoot Gibson *(Chub)*, Jack Walters *(Andy)*, Otto Myers *(Swede)*, Jim Moore *(Two-Horns)*.

Aucune copie connue.

The Rustlers (1919)

Prod. : Universal
Scén. : George Hively
Images : John W. Brown
Durée : 2 bobines

Int. : Peter Morrison *(Ben Clayburn)*, Helen Gibson *(Nell Wyndham)*, Jack Woods *(shérif Buck Farley)*, Hoot Gibson *(son adjoint)*.

Aucune copie connue.

Le Serment de Black Billy (1919)
Bare Fists

Prod. : Universal
Scén. : Eugene B. Lewis, d'ap. un sujet de Bernard McConville
Images : John W. Brown
Métrage : 1.676 m.

Int. : Harry Carey *(Cheyenne Harry)*, Molly McConnell *(sa mère)*, Joseph Girard *(son père)*, Howard Ensteadt *(son frère Bud)*, Betty Schade *(Conchita)*, Vester Pegg *(Lopez)*, Joe Harris *(Boone Travis)*, Anna Lee Walthall *(Ruby)*.

Aucune copie connue.

Gun Law (1919)

Prod. : Universal
Scén. : H. Tipton Steck
Durée : 2 bobines

Int. : Peter Morrison *(Dick Allen)*, Hoot Gibson *(Bart Stevens)*, Helen Gibson *(Letty)*, Jack Woods *(Cayuse Yates)*, Otto Myers, Ed Jones, H. Chambers *(compagnons de Yates)*.

Aucune copie connue.

The Gun Packer (1919)

Prod. : Universal
Scén. : Karl R. Coolidge, d'ap. un sujet de Ford et Harry Carey
Images : John W. Brown
Durée : 2 bobines

Int. : Ed Jones *(Sandy McLoughlin),* Pete Morrison *(« Pearl Handle » Wiley*), Magda Lane *(Rose McLoughlin),* Jack Woods *(Pecos Smith),* Hoot Gibson *(chef des bandits),* Jack Walters *(Brown),* Duke Lee *(Buck Landers),* Howard Ensteadt *(Bobby McLoughlin).*

Aucune copie connue.

La Vengeance de Black Billy (1919)
Riders of Vengeance

Prod. : P.A. Powers
Scén. : Ford, Harry Carey
Images : John W. Brown
Dist. : Universal
Durée : 6 bobines

Int. : Harry Carey *(Cheyenne Harry),* Seena Owen *(la femme),* Joe Harris *(shérif Gale Thurman),* J. Farrell MacDonald *(Buell),* Jenny Lee *(mère de Harry),* Glita Lee *(Virginia),* Alfred Allen, Betty Schade, Vester Pegg, M.K. Wilson.

Aucune copie connue.

The Last Outlaw (1919)

Prod. : Universal
Scén. : H. Tipton Steck, d'ap. un sujet d'Evelyne Murray Campbell
Images : John W. Brown
Durée : 2 bobines

Int. : Ed « King Fisher » Jones *(Bud Coburn),* Richard Cumming *(shérif Brownlo),* Lucille Hutton *(Idaleen Coburn),* Jack Walters *(Chad Allen),* Billie Hutton.

Remake par Christy Cabanne (1936).

Aucune copie connue.

Le Proscrit (1919)
The Outcasts of Poker Flat

Prod. : P.A. Powers
Scén. : H. Tipton Steck, d'ap. les nouvelles de Bret Harte « The Outcasts of Poker Flat » et « The Luck of Roaring Camp »
Images : John W. Brown
Dist. : Universal
Durée : 6 bobines

Int. : Harry Carey *(Square Shootin' Lanyon ; John Oakhurst)*, Cullen Landis *(Billy Lanyon ; Tommy Oakhurst)*, Gloria Hope *(Ruth Watson ; Sophy)*, J. Farrell MacDonald, Charles H. Mailes, Victor Postel, Joe Harris, Duke R. Lee, Vester Pegg.

Remakes par Christy Cabanne (1937) et Joseph Newman (*Les Bannis de la sierra*, 1952)

Aucune copie connue.

Le Roi de la prairie (1919)
The Ace of the Saddle

Prod. : P.A. Powers
Scén. : George Hively, d'ap. un sujet de B.J. Jackson
Images : John W. Brown
Dist. : Universal
Durée : 6 bobines

Int. : Harry Carey *(Cheyenne Harry Henderson)*, Joe Harris *(shérif « Two Gun » Hildebrand)*, Duke R. Lee *(shérif Faulkner)*, Jack Walters *(Inky O'Day)*, Vester Pegg *(joueur)*, Zoe Ray, Howard Ensteadt *(enfants)*, Ed « King Fisher » Jones *(Home Sweet Holmes)*, William Cartwright *(Humpy Anderson)*, Andy Devine.

Aucune copie connue.

Black Billy au Canada (1919)
The Rider of the Law

Prod. : P.A. Powers
Scén. : H. Tipton Steck, d'ap. la nouvelle de G.P. Lancaster « Jim of the Rangers »
Images : John W. Brown
Dist. : Universal
Durée : 5 bobines

Int. : Harry Carey *(Jim Kyneton),* Gloria Hope *(Betty),* Vester Pegg *(Nick Kyneton),* Theodore Brooks *(le Kid),* Joe Harris *(Buck Soutar),* Jack Woods *(Jack West),* Duke R. Lee *(capitaine Saltire),* Claire Anderson *(Roseen),* Jennie Lee *(la mère).*

Aucune copie connue.

Tête brûlée (1919)
A Gun Fightin' Gentleman

Prod. : P.A. Powers
Scén. : Hal Hoadley, d'ap. un sujet de Ford et Harry Carey
Images : John W. Brown
Dist. : Universal
Durée : 5 bobines

Int. : Harry Carey *(Cheyenne Harry),* J. Barney Sherry *(John Merritt),* Kathleen O'Connor *(Helen Merritt),* Lydia Yeamans Titus *(sa tante),* Harry von Meter *(comte de Jollywell),* Duke R. Lee *(Buck Regan),* Joe Harris *(Seymour),* Johnny Cooke *(vieux shérif),* Ted Brooks *(garçon).*

Aucune copie connue.

Les Hommes marqués (1919)
Marked Men

Prod. : P.A. Powers
Scén. : H. Tipton Steck, d'ap. la nouvelle de Peter B. Kyne « Three Godfathers »
Images : John W. Brown
Mont. : Frank Lawrence, Frank Atkinson
Dist. : Universal
Durée : 5 bobines

Int. : Harry Carey *(Cheyenne Harry)*, J. Farrell MacDonald *(Tom « Placer » McGraw*), Joe Harris *(Tom Gibbons),* Winifred Westover *(Ruby Merrill),* Ted Brooks *(Tony Garcia),* Charles Lemoyne *(shérif Pete Cushing),* David Kirby *(« Bruiser » Kelly*).

Précédente adaptation : *Bronco Billy and the Baby* (G.M. Anderson, 1915). Remakes par William Wyler : *Hell's Heroes* (1930), Richard Boleslawski : *Three Godfathers* (1936), Ford lui-même : *Le Fils du désert* (1948).

Aucune copie connue.

The Prince of Avenue A (1920)

Prod. : Universal
Scén. : Charles J. Wilson, d'ap. un sujet de Charles et Frank Dazey
Images : John W. Brown
Durée : 5 bobines

Int. : « Gentleman Jim » Corbett *(Barry O'Connor),* Mary Warren *(Mary Tompkins),* Harry Northrup *(Edgar Jones),* Cora Drew *(Mary O'Connor),* Richard Cummings *(Patrick O'Connor),* Frederik Vroom *(William Tompkins),* Mark Fenton *(père O'Toole),* George Vanderlip *(Reggie Vanderlip),* Johnny Cooke *(maître d'hôtel),* Lydia Yeamans Titus *(gouvernante).*

Aucune copie connue.

The Girl in No. 29 (1920)

Prod. : Universal
Scén. : Philip J. Hurn, d'ap. la nouvelle d'Elizabeth Jordan « The Girl in the Mirror »
Images : John W. Brown
Métrage : 1.455 m.

Int. : Frank Mayo *(Laurie Devon),* Harry Hilliard *(Rodney Bangs),* Claire Anderson *(Doris Williams),* Elinor Fair *(Barbara Devon),* Bull Montana *(Abdullah),* Ray Ripley *(Ransome Shaw),* Robert Bolder *(Jacob Epstein).*

Aucune copie connue.

L'Obstacle (1920)
Hitchin' Posts

Prod. : Universal
Scén. : George C. Hull, d'ap. un sujet de Harold M. Schumate
Images : Benjamin Kline
Durée : 5 bobines

Int. : Frank Mayo *(Jefferson Todd),* Beatrice Burnham *(Ophelia Bereton),* Joe Harris *(Raoul Castiga),* J. Farrell MacDonald *(Joe Alabam),* Mark Fenton *(colonel Bereton),* Dagmar Godowsky *(métis),* Duke R. Lee *(colonel Lancy),* C.E. Anderson *(capitaine du bateau),* M. Biddulph *(commandant Gray).*

Aucune copie connue.

Pour le sauver (1920)
Just Pals

Prod. : William Fox - 20th Century
Scén. : Paul Schofield, d'ap. un sujet de John McDermott
Images : George Schneiderman
Durée : 5 bobines

Int. : Buck Jones *(Bim)*, Helen Ferguson *(Mary Bruce)*, George E. Stone *(Bill)*, Duke R. Lee *(shérif)*, William Buckley *(Harvey Cahill)*, Edwin Booth Tilton *(Dr. Stone)*, Eunice Murdock Moore *(Mrs. Stone)*, Burt Apling *(machiniste)*, Slim Padgett, Pedro Leone *(hors-la-loi)*, Ida Tenbroook *(servante)*, John J. Cooke *(Ancien)*.

Un homme libre (1921)
The Big Punch

Prod. : William Fox - 20th Century
Scén. : Ford et Jules Furthman, d'ap. la nouvelle de Furthman « Fighting Back »
Images : Frank Good
Durée : 5 bobines

Int. : Buck Jones *(Buck)*, Barbara Bedford *(Hope Standish)*, George Siegmann *(Flash McGraw)*, Jack Curtis *(Jef)*, Jennie Lee *(mère de Buck)*, Jack McDonald, Al Fremont *(amis de Buck)*, Edgar Jones *(shérif)*, Irene Hunt *(entraîneuse)*, Eleanor Gilmore *(salutiste)*.

Aucune copie connue.

The Freeze Out (1921)

Prod. : Universal
Scén. : George C. Hull
Images : Harry C. Fowler
Métrage : 1.341 m.

Int. : Harry Carey *(Ohio)*, Helen Ferguson *(Zoe Whipple)*, Joe Harris *(Headlight Whipple)*, Charles Lemoyne *(Denver Red)*, J. Farrell MacDonald *(Bobtail McGuire)*, Lydia Yeamans Titus *(Mrs. McGuire)*.

Aucune copie connue.

Pour le sauver : Buck Jones et Helen Ferguson

The Wallop (1921)

Prod. : Universal
Scén. : George C. Hull, d'ap. la nouvelle de Eugene Manlove Rhodes « The Girl He Left Behind Him »
Images : Harry C. Fowler
Métrage : 1.383 m.

Int. : Harry Carey *(John Wesley Pringle),* Joe Harris *(Barela),* Charles Lemoyne *(Matt Lisner),* J. Farrell MacDonald *(Neuces River),* Mignonne Golden *(Stella Vorhis),* Bill Gettinger *(Christopher Foy),* Noble Johnson *(Espinol),* C.E. Anderson *(Applegate),* Mark Fenton *(commandant Vorhis).*

Aucune copie connue.

Face à face (1921)
Desperate Trails

Prod. : Universal
Scén. : Elliot J. Clawson, d'ap. la nouvelle de Courtney Ryley Cooper « Christmas Eve at Pilot Butte »
Images : Harry C. Fowler, Robert DeGrasse
Métrage : 1.395 m.

Int. : Harry Carey *(Bert Carson),* Irene Rich *(Mrs. Walker),* George E. Stone *(Danny Boy),* Helen Field *(Carrie),* Barbara La Marr *(Lady Lou),* George Siegmann *(shérif Price),* Charles Insley *(Dr. Higgins),* Ed Coxen *(Walter A. Walker).*

Aucune copie connue.

Action (1921)

Prod. : Universal
Scén. : Harvey Gates, d'ap. la nouvelle de J. Allen Dunn « The Mascotte of the Three Star »
Images : John W. Brown
Métrages : 1.399 m.

Int. : Hoot Gibson *(Sandy Brooke),* Francis Ford *(Soda Water Manning),* J. Farrell MacDonald *(Mormon Peter),* Buck Connors *(Pat Casey),* Byron Munson *(Henry Meekin),* Clara Horton *(Molly Casey),* William R. Daley *(J. Plimsoll),* Charles Newton *(shérif Dipple),* Jim Corey *(Sam Waters),* Ed « King Fisher » Jones *(Art Smith).*

Aucune copie connue.

Sure Fire (1921)

Prod. : Universal
Scén. : George C. Hull, d'ap. la nouvelle de Eugene Manlove Rhodes « Bransford of Rainbow Ridge »
Images : Virgil G. Miller
Métrage : 1.365 m.
Durée : 5 bobines

Int. : Hoot Gibson *(Jeff Bransford)*, Molly Malone *(Marian Hoffman)*, Reeves « Breezy » Eason, Jr. *(Sonny)*, Harry Carter *(Rufus Coulter)*, Murdock MacQuarrie *(commandant Parker)*, Fritzi Brunette *(Elinor Parker)*, George Fisher *(Burt Rawlings)*, Charles Newton *(Leo Ballinger)*, Jack Woods *(Brazos Bart)*, Jack Walters *(Overland Kid)*.

Aucune copie connue.

Jackie (1921)

Prod. : William Fox
Scén. : Dorothy Yost, d'ap. le roman de la comtesse Hélène Barcynska
Images : George Schneiderman
Métrage : 1.506 m.

Int. : Shirley Mason *(Jackie)*, William Scott *(Mervyn Carter)*, Harry Carter *(Bill Bowman)*, George E. Stone *(Benny)*, John Cooke *(Winter)*, Elsie Bambrick *(Millie)*.

Aucune copie connue.

Little Miss Smiles (1922)

Prod. : William Fox
Scén. : Dorothy Yost, d'ap. l'adaptation par D. Yost et Jack Strumwasser du roman de Myra Kelly : *Little Aliens*
Images : David Abel
Métrage : 1.489 m.

Int. : Shirley Mason *(Esther Aaronson)*, Gaston Glass *(Dr. Jack Washton)*, George Williams *(Papa Aaronson)*, Martha Franklin *(Mama Aaronson)*, Arthur Rankin *(Dave Aaronson)*, Baby Blumfield *(Baby Aaronson)*, Richard Lapan *(Leon Aaronson)*, Alfred Testa *(Louis Aaronson)*, Sidney d'Albrook *(l'Araignée)*.

Aucune copie connue.

Silver Wings (1922)

Réal. : Ford (« The Prologue »), Edwin Carewe (« The Play »)
Prod. : William Fox
Scén. : Paul H. Stone
Images : Joseph Ruttenberg, Robert Kurle
Métrage : 2.521 m.

Int. (« The Prologue ») : Mary Carr *(Anna Webb),* Lynn Hammond *(John Webb),* Knox Kincaid *(John),* Joseph Monahan *(Harry),* Maybeth Carr *(Ruth),* Claude Brook *(Oncle Andrews),* Robert Hazelton *(prêtre),* Florence Short *(veuve),* May Kaiser *(bébé).*

Aucune copie connue.

Le Forgeron du village (1922)
The Village Blacksmith

Prod. : William Fox
Scén. : Paul H. Sloane, d'ap. le poème de Longfellow
Images : George Schneiderman
Métrage : 2.298 m.

Int. : William Walling *(John Hammond),* Virginia True Boardman *(sa femme),* Virginia Valli *(Alice Hammond),* David Butler *(Bill Hammond),* Gordon Griffith *(Bill enfant),* Ida Nan McKenzie *(Alice enfant),* George Hackthorne *(Johnnie),* Pat Moore *(Johnnie enfant),* Tully Marshall *(Squire Ezra Bingham),* Caroline Rankin *(Mrs. Bingham).*

Aucune copie connue.

L'Image aimée (1923)
The Face on the Barroom Floor

Prod. : William Fox
Scén. : Eugene B. Lewis et G. Marion Burton, d'ap. le poème de Hugh Antoine D'Arcy
Images : George Schneiderman
Métrage : 1.764 m.

Int. : Henry B. Walthall *(Robert Stevens),* Ruth Clifford *(Marion Von Vleck*), Walter Emerson *(Richard Von Vleck),* Alma Bennett *(Lottie),* Norval McGregor *(gouverneur),* Michael Dark *(Henry Drew),* Gus Saville *(pêcheur).*

Aucune copie connue.

Three Jumps Ahead (1923)

Prod. : William Fox
Scén. : Ford
Images : Daniel B. Clark
Métrage : 1.479 m.

Int. : Tom Mix *(Steve Clancy)*, Alma Bennett *(Annie Darrell)*, Virginia True Boardman *(Mrs. Darrell)*, Edward Piel *(Taggit)*, Joe E. Girard *(père d'Annie)*, Francis Ford *(Virgil Clancy)*, Margaret Joslin *(Juliet)*, Henry Todd *(Cicero)*, Buster Gardner *(Brutus)*.

Aucune copie connue.

Cameo Kirby (1923)

Prod. : William Fox
Scén. : Robert N. Lee, d'ap. la pièce de Harry Leon Wilson et Booth Tarkington
Images : George Schneiderman
Métrage : 1.801 m.

Int. : John Gilbert *(Cameo Kirby)*, Gertrude Olmstead *(Adele Randall)*, Alan Hale *(colonel Moreau)*, William E. Lawrence *(colonel Randall)*, Jean Arthur *(Ann Playdell)*, Richard Tucker *(cousin Aaron)*, Phillips Smalley *(le juge Playdell)*, Jack McDonald *(Larkin Bruce)*, Eugenie Ford *(Mme Davezac)*, Frank Baker.

Remake par Irving Cummings (1929).
Premier film signé John (et non Jack) Ford.

Le Pionnier de la baie d'Hudson (1923)
North of Hudson Bay

Prod. : William Fox
Scén. : Jules Furthman
Images : Daniel B. Clark
Métrage : 1.516 m.

Int. : Tom Mix *(Michael Dane)*, Kathleen Kay *(Estelle MacDonald)*, Jennie Lee *(mère de Dane)*, Frank Campeau *(Cameron MacDonald)*, Eugene Pallette *(Peter Dane)*, Will Walling *(Angus MacKenzie)*, Frank Leigh *(Jeffrey Clough)*, Fred Kohler *(Armand LeMoir)*.

Il ne subsiste que des fragments de ce film.

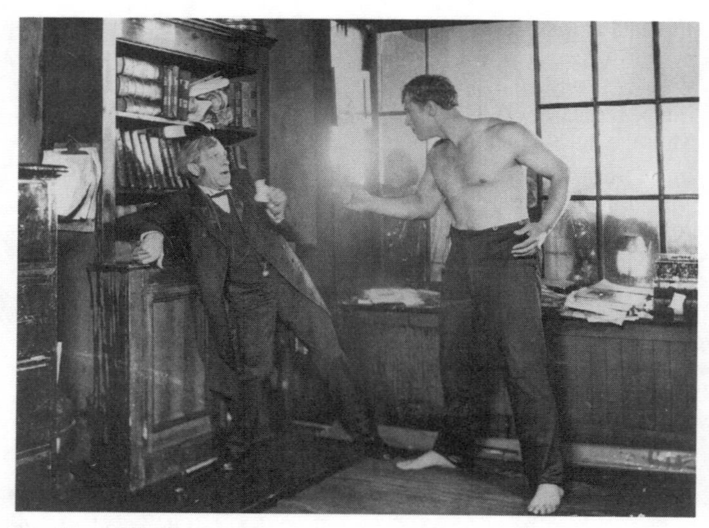

Hoodman Blind

Hoodman Blind (1923)

Prod. : William Fox
Scén. : Charles Kenyon, d'ap. la pièce de Henry Arthur Jones et Wilson Barrett
Images : George Schneiderman
Métrage : 1.656 m.

Int. : David Butler *(Jack Yeulette),* Gladys Hulette *(Nance Yeulette* ; *Jessie Walton*), Regina Connelly *(la première Jessie Walton),* Frank Campeau *(Mark Lezzard),* Marc MacDermott *(John Linden),* Trilby Clark *(Mrs. John Linden),* Eddie Gribbon *(Battling Brown),* Jack Walters *(Bull Yeaman).*

Aucune copie connue.

Le Cheval de fer (1924)
The Iron Horse

Prod. : William Fox
Scén. : Charles Kenyon, d'ap. un sujet de Kenyon et John Russell

Le Cheval de fer

Images : George Schneiderman, Burnett Guffey
Mus. : Erno Rapee
Métrage : 3.455 m.

Int. : George O'Brien *(Davy Brandon)*, Madge Bellamy *(Miriam Marsh)*, Judge Charles Edward Bull *(Abraham Lincoln)*, William Walling *(Thomas Marsh)*, Fred Kohler *(Bauman)*, Cyril Chadwick *(Peter Jesson)*, Gladys Hulette *(Ruby)*, James Marcus *(le juge Haller)*, Francis Powers *(sergent Slattery)*, J. Farrell MacDonald *(caporal Casey)*, James Welch *(soldat Schultz)*, Colin Chase *(Tony)*, Walter Rogers *(général Dodge)*, Jack O'Brien *(Dinny)*, George Waggner *(colonel Buffalo Bill Cody)*, John Padjan *(Wild Bill Hickok)*, Charles O'Malley *(commandant North)*, Charles Newton *(Collis P. Huntington)*, Delbert Mann *(Charles Crocker)*, Chief Big Tree *(chef cheyenne)*.

Les Cœurs de chêne (1924)
Hearts of Oak

Prod. : William Fox
Scén. : Charles Kenyon, d'ap. la pièce de James A. Herne
Images : George Schneiderman
Métrage : 1.626 m.

Int. : Hobart Bosworth *(Terry Dunnivan)*, Pauline Starke *(Chrystal)*, Theodore von Eltz *(Ned Fairweather)*, James Gordon *(John Owen)*, Francis Powers *(Grandpa Dunnivan)*, Jennie Lee *(Grandma Dunnivan)*, Francis Ford, Frank Baker.

Aucune copie connue.

Sa nièce de Paris (1925)
Lightnin'

Prod. : William Fox
Scén. : Frances Marion, d'ap. la pièce de Winchell Smith et Frank Bacon
Images : Joseph H. August
Métrage : 2.454 m.

Int. : Jay Hunt *(Lightnin' Bill Jones)*, Madge Bellamy *(Millie)*, Edythe Chapman *(Mother Jones)*, Wallace McDonald *(John Marvin)*, J. Farrell MacDonald *(le juge Townsend)*, Ethel Clayton *(Margaret Davis)*, Richard Travers *(Raymond Thomas)*, James Marcus *(shérif Blodgett)*, Otis Harlan *(Zeb)*, Brandon Hurst *(Everett Hammond)*, Peter Mazutis *(Oscar)*.

Remake par Henry King (1930).

La Fille de Négofol (1925)
Kentucky Pride

Prod. : William Fox
Scén. : Dorothy Yost
Images : George Schneiderman, Edmund Reek
Métrage : 2.011 m.

Int. : Henry B. Walthall *(Roger Beaumont)*, J. Farrell MacDonald *(Mike Donovan)*, Gertrude Astor *(Mrs. Beaumont)*, Malcolm Waite *(Greve Carter)*, Belle Stoddard *(Mrs. Donovan)*, Winston Miller *(Danny Donovan)*, George Read *(maître d'hôtel)*, Peaches Jackson *(Virginia Beaumont)*.

La Fille de Négofol : J. Farrell MacDonald

Le Champion (1925)
The Fighting Heart

Prod. : William Fox
Scén. : Lillie Hayward, d'ap. le roman de Larry Evans : *Once to Every Man* (1925)
Images : Joseph H. August
Métrage : 2.127 m.

Int. : George O'Brien *(Danny Bolton),* Billie Dove *(Doris Anderson),* J. Farrell MacDonald *(Jerry),* Diana Miller *(Helen Van Allen),* Victor McLaglen *(Soapy Williams),* Bert Woodruff *(Grandfather Bolton),* James Marcus *(le juge Maynard),* Lynn Cowan *(Chub Morehouse),* Harvey Clark *(Dennison),* Hank Mann *(son assistant),* Francis Ford *(idiot du village).*

Aucune copie connue.

Extra Dry (1925)
Thank You

Prod. : John Golden
Scén. : Frances Marion, d'ap. la pièce de Winchell Smith et Tom Cushing
Images : George Schneiderman
Dist. : William Fox
Métrage : 2.103 m.

Int. : George O'Brien *(Kenneth Jamieson),* Jacqueline Logan *(Diana Lee),* Alec Francis *(David Lee),* J. Farrell MacDonald *(Andy),* Cyril Chadwick *(Mr. Jones),* Edith Bostwick *(Mrs. Jones),* Vivian Ogden *(Miss Blodgett),* James Neill *(Dr. Cobb),* Billy Rinaldi *(Sweet, Jr.),* Maurice Murphy *(Willie Jones).*

Aucune copie connue.

Gagnant quand même (1926)
The Shamrock Handicap

Prod. : William Fox
Scén. : John Stone, d'ap. un sujet de Peter B. Kyne
Images : George Schneiderman
Métrage : 1.733 m.

Int. : Leslie Fenton *(Neil Ross),* J. Farrell MacDonald *(Con O'Shea),* Janet Gaynor *(Sheila O'Hara),* Louis Payne *(sir Michael O'Hara),* Claire McDowell *(Molly O'Shea),* Willard

Louis *(Orville Finch)*, Andy Clark *(Chesty Morgan)*, George Harris *(Benny Ginsburg)*, Ely Reynolds *(Virus Cakes)*, Thomas Delmar *(Michael)*, Brandon Hurst.

Les Trois Sublimes Canailles (1926)
3 Bad Men

Prod. : William Fox
Scén. : Ford et John Stone, d'ap. le roman de Herman Whitaker : *Over the Border*
Images : George Schneiderman
Métrage : 2.655 m.

Int. : George O'Brien *(Dan O'Malley)*, Olive Borden *(Lee Carlton)*, J. Farrell MacDonald *(Mike Costigan)*, Tom Santschi *(Bull Stanley)*, Frank Campeau *(Steve Allen)*, Louis Tellegen *(shérif Hunter)*, George Harris *(Joe Minsk)*, Jay Hunt *(vieux prospecteur)*, Priscilla Bonner *(Millie Stanley)*, Otis Harlan *(Zack Leslie)*, Walter Perry *(Pat Monahan)*, Grace Gordon *(amie de Millie)*, Alec B. Francis *(Rév. Benson)*, George Irving *(général Neville)*, Phyllis Haver *(élégante)*, Vester Pegg, Bud Osborne.

L'Aigle bleu (1926)
The Blue Eagle

Prod. : William Fox
Scén. : L.G. Rigby, d'ap. la nouvelle de Gerald Beaumont « The Lord's Referee »
Images : George Schneiderman
Métrage : 1.890 m.

Int. : George O'Brien *(George Darcy)*, Janet Gaynor *(Rose Cooper)*, William Russell *(Big Tim Ryan)*, Robert Edeson *(père Joe)*, David Butler *(Nick Galvani)*, Phillip Ford *(Limpy Darcy)*, Ralph Sipperly *(Slats Mulligan)*, Margaret Livingston *(Mary Rohan)*, Jerry Madden *(Baby Tom)*, Harry Tenbrook *(Bascom)*, Lew Short *(capitaine McCarthy)*, Frank Baker.

Upstream (1927)

Prod. : William Fox
Scén. : Randall H. Faye, d'ap. la nouvelle de Wallace Smith « The Snake's Wife »
Images : Charles G. Clarke

Métrage : 1.679 m.

Int. : Nancy Nash *(Gertie King),* Earle Foxe *(Eric Brasingham),* Grant Withers *(Jack LaVelle),* Raymond Hitchcock *(star),* Lydia Yeamans Titus *(Miss Breckenridge),* Emile Chautard *(Campbell Mandare),* Ted McNamara, Sammy Cohen *(danseurs),* Francis Ford *(jongleur),* Judy King, Lillian Worth *(sœurs).*

Aucune copie connue.

Maman de mon cœur (1928)
Mother Machree

Prod. : William Fox
Scén. : Gertrude Orr, d'ap. la nouvelle de Rida Johnson Young « The Story of Mother Machree »
Images : Chester Lyons
Montage : Katherine Hilliker, H.H. Caldwell
Musique et effets sonores
Durée : 75 mn.

Int. : Belle Bennett *(Ellen McHugh),* Neil Hamilton *(Brian McHugh),* Philippe de Lacy *(Brian enfant),* Pat Somerset *(Bobby De Puyster),* Victor McLaglen *(Terence O'Dowd),* Ted McNamara *(Harpiste de Wexford),* William Platt *(Pips),* John MacSweeney *(prêtre),* Eulalie Jensen *(Rachel van Studdiford),* Constance Howard *(Edith Cutting),* Robert Parrish *(enfant).*

Il ne subsiste que des fragments de ce film.

Les Quatre Fils (1928)
Four Sons

Prod. : William Fox
Scén. : Philip Klein, d'ap. la nouvelle d'I.A.R. Wylie « Grandma Bernle Learns Her Letters » et son adaptation par Herman Bing
Images : George Schneiderman, Charles G. Clarke
Mus. : Carli Elinor. Effets sonores
Mont. : Margaret V. Clancey
Durée : 100 mn.

Int. : Margaret Mann *(Frau Bernle),* James Hall *(Joseph Bernle),* Charles Morton *(Johann Bernle),* George Meeker *(Andres Bernle),* Francis X. Bushman, Jr. *(Franz Bernle),* June

Collyer *(Annabelle Bernle)*, Albert Gran *(facteur)*, Earle Foxe *(commandant Von Stomm)*, Frank Reicher *(instituteur)*, Jack Pennick *(ami de Joseph)*, archiduc Léopold d'Autriche *(capitaine allemand)*, Hughie Mack *(aubergiste)*, Wendell Franklin *(James Henry)*, Auguste Tollaire *(commandant)*, Ruth Mix *(amie de Johann)*, Robert Parrish *(enfant)*, Michael Mark *(ordonnance de Von Stomm)*, L.J. O'Connor *(aubergiste)*.

La Maison du bourreau (1928)
Hangman's House

Prod. : William Fox
Scén. : Marion Orth et Willard Mack, d'ap. l'adaptation par Philip Klein du roman de Brian Oswald Donn-Byrne
Images : George Schneiderman
Mont. : Margaret V. Clancey
Métrage : 1.987 m.

Int. : Victor McLaglen *(Citizen Hogan)*, Hobart Bosworth *(James O'Brien)*, June Collyer *(Connaught O'Brien)*, Larry Kent *(Dermot McDermot)*, Earle Foxe *(John D'Arcy)*, Eric Mayne *(colonel de la Légion)*, Joseph Burke *(Neddy Joe)*, Belle Stoddard *(Anne McDermot)*, John Wayne *(spectateur)*, Frank Baker *(officier anglais)*.

Napoleon's Barber (1928)

Prod. : William Fox - Movietone
Scén. : Arthur Caesar, d'ap. sa pièce
Images : George Schneiderman
Métrage : 908 m.

Int. : Otto Matiesen *(Napoléon)*, Frank Reicher *(barbier)*, Natalie Golitzin *(Joséphine)*, Helen Ware *(femme du barbier)*, Philippe de Lacy *(fils du barbier)*, Russel Powell *(forgeron)*, Buddy Roosevelt, Ervin Renard, Joe Waddell, Youcca Troubetzkoy *(officiers français)*.

Premier film parlant de Ford.

Aucune copie connue.

Riley the Cop (1928)

Prod. : William Fox
Scén. : James Gruen, Fred Stanley

Images : Charles G. Clarke
Musique et effets sonores
Mont. : Alex Troffey
Durée : 67 mn.

Int. : J. Farrell MacDonald *(Aloysius Riley),* Louise Fazenda *(Lena Krausmeyer),* Nancy Drexel *(Mary),* David Rollins *(Davy Collins),* Harry Schultz *(Hans Krausmeyer),* Billy Bevan *(chauffeur de taxi),* Mildred Boyd *(Caroline),* Ferdinand Schumann-Heink *(Julius),* Del Henderson *(juge),* Russell Powell *(Kuchendorf),* Mike Donlin *(escroc),* Robert Parrish.

Le Costaud (1929)
Strong Boy

Prod. : William Fox
Scén. : James Kevin McGuinness, Andrew Bennison et John McLain, d'ap. un sujet de Frederick Hazlett Brennan
Images : Joseph H. August
Musique et effets sonores
Durée : 63 mn.

Int. : Victor McLaglen *(William « Strong Boy » Bloss)*, Leatrice Joy *(Mary McGregor),* Clyde Cook *(Pete),* Slim Summerville *(Slim),* Kent Sanderson *(Wilbur Watkins),* Tom Wilson *(chef bagagiste),* Jack Pennick *(bagagiste),* Eulalie Jensen *(reine),* David Torrence *(président du chemin de fer),* J. Farrell MacDonald *(Angus McGregor).*

Aucune copie accessible.

The Black Watch (1929)

Prod. : William Fox
Scén. : James Kevin McGuinness, John Stone et Frank Barber, d'ap. le roman de Talbot Mundy : *King of the Khyber Rifles*
Images : Joseph H. August
Déc. : William Darling
Mont. : Alex Troffey
Durée : 93 mn.

Int. : Victor McLaglen *(capitaine Donald King),* Myrna Loy *(Yasmani),* Roy D'Arcy *(Rewa Ghunga),* Pat Somerset *(officier écossais),* David Rollins *(lieutenant Malcolm King),* Mitchell Lewis *(Mohammed Khan),* Walter Long *(Harem Bey),* Frank

Baker, David Percy *(officiers écossais),* Lumsden Hare *(colonel),* Cyril Chadwick *(commandant Twynes),* David Torrence *(général),* Francis Ford *(commandant McGregor),* Claude King *(général),* Frederick Sullivan *(aide de camp),* Joseph Diskay *(muezzin),* Richard Travers *(major),* Joyzelle.

Désormais tous les films de Ford sont parlants.

Remake par Henry King : *Capitaine King* (*King of the Khyber Rifles,* 1953*)*.

Salute (1929)

Prod. : William Fox
Scén. : James K. McGuinness, d'ap. un sujet de Tristram Tupper et John Stone
Images : Joseph H. August
Mont. : Alex Troffey
Durée : 86 mn.

Int. : William Janney *(aspirant Paul Randall),* Helen Chandler *(Nancy Wayne),* Stepin Fetchit *(Smoke Screen),* Frank Albertson *(aspirant Albert Edward Price),* George O'Brien *(élève officier John Randall),* Joyce Compton *(Marion Wilson),* Cliff Dempsey *(général Somers),* Lumsden Hare *(contre-amiral Randall),* David Butler *(entraîneur),* Rex Bell *(élève officier),* John Breeden, Ward Bond, John Wayne *(aspirants).*

Hommes sans femmes (1930)
Men Without Women

Prod. : James K. McGuinness
Scén. : Dudley Nichols, d'ap. le sujet de Ford et James K. McGuinness « Submarine »
Images : Joseph H. August
Déc. : William S. Darling
Mus. : Peter Brunelli, Glen Knight
Mont. : Paul Weatherwax
Dist. : William Fox
Durée : 77 mn.

Int. : Kenneth MacKenna *(Burke),* Frank Albertson *(Price),* Paul Page *(Handsome),* Pat Somerset *(lieutenant Digby),* Walter McGrail *(Cobb),* Stuart Erwin *(Jenkins),* Warren Hymer *(Kaufman),* J. Farrell MacDonald *(Costello),* Roy Stewart *(capitaine Carson),* Warner Richmond *(commandant Bride-*

well), Harry Tenbrook *(Winkler)*, Ben Hendricks, Jr. *(Murphy)*, George LeGuere *(Pollosk)*, Charles Gerrard *(Weymouth)*, John Wayne, Robert Parrish, Frank Baker.

Ce film ne subsiste qu'en version muette.

Born Reckless (1930)

Prod. : James K. McGuinness
Scén. : Dudley Nichols, d'ap. le roman de Donald Henderson Clarke : *Louis Beretti*
Images : George Schneiderman
Déc. : Jack Schulze
Mont. : Frank E. Hull
Dist. : William Fox
Durée : 82 mn.

Int. : Edmund Lowe *(Louis Beretti)*, Catherine Dale Owen *(Joan Sheldon)*, Lee Tracy *(Bill O'Brien)*, Marguerite Churchill *(Rosa Beretti)*, Warren Hymer *(Big Shot)*, Pat Somerset *(Duke)*, William Harrigan *(Good News Brophy)*, Frank Albertson *(Frank Sheldon)*, Ferike Boros *(Ma Beretti)*, J. Farrell MacDonald *(procureur)*, Paul Porcasi *(Pa Beretti)*, Eddie Gribbon *(Bugs)*, Mike Donlin *(Fingy Moscovitz)*, Ben Bard *(Joe Bergman)*, Paul Page *(Ritzy Reilly)*, Joe Brown *(Needle Beer Grogan)*, Jack Pennick, Ward Bond *(soldats)*, Roy Stewart *(le procureur Cardigan)*, Yola D'Avril *(Française)*.

Up the River (1930)

Prod. : William Fox
Scén. : Maurine Watkins, Ford, William Collier, Sr.
Images : Joseph H. August
Déc. : Duncan Cramer
Mus. : Joseph McCarthy, James F. Hanley
Mont. : Frank E. Hull
Durée : 92 mn.

Int. : Spencer Tracy *(St. Louis)*, Warren Hymer *(Dannemora Dan)*, Humphrey Bogart *(Steve)*, Claire Luce *(Judy)*, Joan Lawes *(Jean)*, Sharon Lynn *(Edith La Verne)*, George McFarlane *(Jessup)*, Gaylord Pendleton *(Morris)*, Morgan Wallace *(Frosby)*, William Collier, Sr. *(Pop)*, Robert E. O'Connor *(directeur)*, Louise MacIntosh *(Mrs. Massey)*, Edythe Chapman *(Mrs. Jordan)*, Johnny Walker *(Happy)*, Noel Francis *(Sophie)*,

Mildred Vincent *(Annie),* Wilbur Mack *(Whitelay),* Goodee Montgomery *(Kit),* Althea Henley *(Cynthia),* Carol Wines *(Daisy Elmore),* Robert Parrish.

Seas Beneath (1931)

Prod. : William Fox
Scén. : Dudley Nichols, d'ap. un sujet de James Parker, Jr.
Images : Joseph H. August
Mont. : Frank E. Hull
Durée : 99 mn.

Int. : George O'Brien *(commandant Bob Kingsley),* Marion Lessing *(Anna Marie Von Steuben),* Warren Hymer *(Lug Kaufman),* William Collier, Sr. *(Mugs O'Flaherty),* John Loder *(Franz Schilling),* Walter C. « Judge » Kelly *(chef « Guns » Costello)*, Walter McGrail *(Joe Cobb),* Henry Victor *(Ernst Von Steuben),* Mona Maris *(Lolita),* Larry Kent *(lieutenant MacGregor),* Gaylord Pendleton *(enseigne Richard Cabot),* Nat Pendleton *(Butch Wagner),* Harry Tenbrook *(Winkler),* Terry Ray *(Reilly),* Hans Furberg *(Fritz Kampf),* Ferdinand Schumann-Heink *(Adolph Brucker),* Francis Ford *(capitaine du chalutier),* Kurt Furberg *(Hoffman),* Ben Hall *(Harrigan),* Harry Weil *(Jevinsky).*

The Brat (1931)

Prod. : Fox Film
Scén. : Sonya Levien, S.N. Behrman et Maude Fulton, d'ap. la pièce de Maude Fulton
Images : Joseph H. August
Mont. : Alex Troffey
Durée : 81 mn.

Int. : Sally O'Neill *(la Gosse),* Alan Dinehart *(MacMillan Forester),* Frank Albertson *(Stephen Forester),* Virginia Cherrill *(Angela),* June Collyer *(Jane),* J. Farrell MacDonald *(Timson),* William Collier, Sr. *(juge),* Margaret Mann *(gouvernante),* Albert Gran *(évêque),* Mary Forbes *(Mrs. Forester),* Louise MacIntosh *(Lena),* Ward Bond *(agent de police).*

Arrowsmith (1931)

Prod. : Samuel Goldwyn
Scén. : Sidney Howard, d'ap. le roman de Sinclair Lewis

Ronald Colman dans *Arrowsmith*

Images : Ray June
Déc. : Richard Day
Mus. : Alfred Newman
Mont. : Hugh Bennett
Dist. : United Artists
Durée : 108 mn.

Int. : Ronald Colman *(Dr. Martin Arrowsmith),* Helen Hayes *(Leora),* A.E. Anson *(professeur Gottlieb),* Richard Bennett *(Sondelius),* Claude King *(Dr. Tubbs),* Myrna Loy *(Joyce Lanyon),* Russell Hopton *(Terry Wickett),* De Witt Jennings *(Mr. Tozer),* John Qualen *(Henry Novak),* Adele Watson *(Mrs. Novak),* Lumsden Hare *(sir Robert Fairland),* Bert Roach *(Bert Tozer),* Charlotte Henry *(fillette),* Clarence Brooks *(Oliver Marchand),* Walter Downing *(employé),* Ward Bond *(agent de police).*

Tête brûlée (1932)
Air Mail

Prod. : Carl Laemmle, Jr.
Scén. : Dale Van Every et commandant Frank W. Wead, d'ap. un sujet de Wead
Images : Karl Freund
Dist. : Universal
Durée : 83 mn.

Int. : Pat O'Brien *(Duke Talbot),* Ralph Bellamy *(Mike Miller),* Gloria Stuart *(Ruth Barnes),* Lillian Bond *(Irene Wilkins),* Russell Hopton *(« Dizzy » Wilkins),* Slim Summerville *(Slim McCune),* Frank Albertson *(Tommy Bogan),* Leslie Fenton *(Tony Dressel),* David Landau *(Pop),* Tom Corrigan *(Sleepy Collins),* William Daly *(Tex Lane),* Hans Furberg *(Heinie Kramer),* Lew Kelly *(ivrogne),* Frank Beal, Francis Ford, James Donlan, Louise MacIntosh, Katherine Perry *(passagers),* Jack Pennick.

Une femme survint (1932)
Flesh

Prod. : MGM
Scén. : Leonard Praskins, Edgar Allen Woolf et William Faulkner, d'ap. un sujet d'Edmund Goulding
Images : Arthur Edeson

Mont. : William S. Gray
Durée : 95 mn.

Int. : Wallace Beery *(Polakai)*, Karen Morley *(Lora Nash)*, Ricardo Cortez *(Nicky)*, Jean Hersholt *(Mr. Herman)*, John Miljan *(Joe Willard)*, Vince Barnett *(serveur)*, Herman Bing *(Pepi)*, Greta Meyer *(Mrs. Herman)*, Ed Brophy *(Dolan)*, Ward Bond *(lutteur)*, Nat Pendleton.

Deux Femmes (1933)
Pilgrimage

Prod. : Fox
Scén. : Philip Klein, Barry Connors, d'ap. la nouvelle d'I.A.R. Wylie « Gold Star Mother »
Images : George Schneiderman
Déc. : William Darling
Mus. : R.H. Bassett
Mont. : Louis R. Loeffler
Durée : 90 mn.

Int. : Henrietta Crosman *(Hannah Jessop)*, Heather Angel *(Suzanne)*, Norman Foster *(Jim Jessop)*, Marian Nixon *(Mary Saunders)*, Maurice Murphy *(Gary Worth)*, Lucille La Verne *(Mrs. Hatfield)*, Charley Grapewin *(Dad Saunders)*, Hedda Hopper *(Mrs. Worth)*, Robert Warwick *(commandant Albertson)*, Betty Blythe *(Janet Prescot)*, Francis Ford *(le maire Briggs)*, Louise Carter *(Mrs. Rogers)*, Jay Ward *(Jim Saunders)*, Frances Rich *(infirmière)*, Adele Watson *(Mrs. Simms)*, Jack Pennick *(sergent)*.

Docteur Bull (1933)
Doctor Bull

Prod. : Fox
Scén. : Paul Green, d'ap. le roman de James Gould Cozzens *The Last Adam*
Images : George Schneiderman
Mus. : Samuel Kaylin
Durée : 76 mn.

Int. : Will Rogers *(Dr. Bull)*, Marian Nixon *(May Tripping)*, Berton Churchill *(Herbert Banning)*, Louise Dresser *(Mrs. Banning)*, Howard Lally *(Joe Tripping)*, Rochelle Hudson *(Virginia Banning)*, Vera Allen *(Janet Cardmaker)*, Tempe Pigotte

(Grandma), Elizabeth Patterson *(Tante Patricia),* Ralph Morgan *(Dr. Verney),* Andy Devine *(Larry Ward),* Nora Cecil *(Tante Emily),* Patsy O'Byrne *(Susan),* Effie Ellsler *(Tante Myra),* Veda Buckland *(Mary),* Helen Freeman *(Helen Upjohn),* Robert Parrish, Francis Ford *(le maire).*

La Patrouille perdue (1934)
The Lost Patrol

Prod. : Merian C. Cooper
Scén. : Dudley Nichols, Garrett Fort et Frank Baker, d'ap. la nouvelle de Philip MacDonald « Patrol »
Images : Harold Wenstrom
Déc. : Van Nest Polglase, Sidney Ullman
Mus. : Max Steiner
Mont. : Paul Weatherwax
Dist. : RKO
Durée : 74 mn.

Int. : Victor McLaglen *(sergent),* Boris Karloff *(Sanders),* Wallace Ford *(Morelli),* Reginald Denny *(George Brown),* J.M. Kerrigan *(Quincannon),* Billy Bevan *(Herbert Hale),* Alan Hale *(cuistot),* Brandon Hurst *(Bell),* Douglas Walton *(Pearson),* Sammy Stein *(Abelson),* Howard Wilson *(aviateur),* Neville Clark *(lieutenant Hawkins),* Paul Hanson *(Jock Mackay),* Francis Ford, Frank Baker *(colonel ; Arabe).*

Remake par Tay Garnett : *Bataan* (1943).

Cassette disponible en VF (Ciné Collection).

Le Monde en marche (1934)
The World Moves On

Prod. : Winfield Sheehan
Scén. : Reginald C. Berkeley
Images : George Schneiderman
Déc. : William Darling
Mus. : Max Steiner, Louis De Francesco, R.H. Bassett, David Buttolph, Hugo Friedhofer, George Gershwin
Dist. : Fox
Durée : 90 mn.

Int. : Madeleine Carroll *(Mrs. Warburton/Mary Warburton),* Franchot Tone *(Richard Girard),* Lumsden Hare *(Gabriel Warburton/sir John Warburton),* Raul Roulien *(Carlos*

Girard/Henri Girard), Reginald Denny *(Erik von Gerhardt),* Siegfried Rumann *(baron von Gerhardt),* Louise Dresser *(baronne von Gerhardt),* Stepin Fetchit *(Dixie),* Dudley Diggs *(Mr. Manning),* Frank Melton *(John Girard),* Brenda Fowler *(Mrs. Girard),* Russell Simpson *(notaire),* Walter McGrail *(duelliste),* Marcelle Corday *(Miss Girard),* Charles Bastin *(Jacques Girard,* 1914*),* Barry Norton *(Jacques Girard,* 1929*),* George Irving *(Charles Girard),* Ferdinand Schumann-Heink *(Fritz von Gerhardt),* Georgette Rhodes *(Jeanne Girard),* Claude King *(Braithwaite),* Jack Pennick, Francis Ford *(légionnaires).*

Judge Priest (1934)

Prod. : Sol Wurtzel
Scén. : Dudley Nichols et Lamar Trotti, d'ap. les nouvelles d'Irvin S. Cobb
Images : George Schneiderman
Mus. : Samuel Kaylin
Dist. : Fox
Durée : 81 mn.

Int. : Will Rogers *(le juge William Priest),* Henry Walthall *(Rév. Ashby Brand),* Tom Brown *(Jerome Priest),* Anita Louise *(Ellie May Gillespie),* Rochelle Hudson *(Virginia Maydew),* Berton Churchill *(sénateur Horace K. Maydew),* David Landau *(Bob Gillis),* Brenda Fowler *(Mrs. Caroline Priest),* Hattie McDaniel *(Tante Dilsey),* Stepin Fetchit *(Jeff Poindexter),* Frank Melton (*Flem Tally*), Roger Imhof *(Billy Gaynor),* Charley Grapewin *(sergent Jimmy Bagby),* Francis Ford *(12e juré),* Paul McAllister *(Doc Lake),* Matt McHugh *(Gabby Rives),* Hy Meyer *(Herman Feldsburg),* Louis Mason *(shérif Birdsong),* Robert Parrish.

Le personnage du juge Priest reparaîtra dans *Le soleil brille pour tout le monde* (1953).

Toute la ville en parle (1935)
The Whole Town's Talking

Prod. : Lester Cowan
Scén. : Jo Swerling, d'ap. le roman de W.R. Burnett
Images : Joseph H. August
Mont. : Viola Lawrence

Jean Arthur et Edward G. Robinson dans *Toute la ville en parle*

Dist. : Columbia
Durée : 95 mn.

Int. : Edward G. Robinson *(Arthur Ferguson Jones/Killer Mannion),* Jean Arthur *(Miss « Bill » Clark*), Wallace Ford *(Mr. Healy),* Arthur Byron *(Mr. Spencer),* Arthur Hohl *(brigadier Michael Boyle),* Donald Meek *(Mr. Hoyt),* Paul Harvey *(J.G. Carpenter),* Edward Brophy *(Slugs Martin),* J. Farrell MacDonald *(directeur de la prison),* Etienne Girardot *(Mr. Seaver),* James Donlan *(Howe),* John Wray *(acolyte),* Effie Ellster *(Tante Agatha),* Robert Emmett O'Connor *(lieutenant de police),* Joseph Sawyer, Francis Ford, Robert Parrish.

Le Mouchard (1935)
The Informer

Prod. : Cliff Reid
Scén. : Dudley Nichols, d'ap. le roman de Liam O'Flaherty
Images : Joseph H. August
Déc. : Van Nest Polglase, Charles Kirk
Mus. : Max Steiner
Mont. : George Hively
Dist. : RKO

Durée : 91 mn.

Int. : Victor McLaglen *(Gypo Nolan),* Heather Angel *(Mary McPhillip),* Preston Foster *(Dan Gallagher),* Margo Grahame *(Katie Madden),* Wallace Ford *(Frankie McPhillip),* Una O'Connor *(Mrs. McPhillip),* J.M. Kerrigan *(Terry),* Joseph Sawyer *(Bartley Mulholland),* Neil Fitzgerald *(Tommy Connor),* D'Arcy Corrigan *(aveugle),* Leo McCabe *(Donahue),* Gaylord Pendleton *(Daley),* Francis Ford *(le juge Flynn),* Mary Boley *(Mrs. Betty),* Grizelda Harvey *(fille obéissante),* Dennis O'Dea *(chanteur des rues),* Jack Mulhall *(guetteur),* Robert Parrish *(soldat).*

Précédente adaptation par Arthur Robison (GB, 1929).

Cassette disponible en VF (Ciné Collection).

Steamboat Round the Bend (1935)

Prod. : Sol M. Wurtzel
Scén. : Dudley Nichols et Lamar Trotti, d'ap. un sujet de Ben Lucian Burman
Images : George Schneiderman
Déc. : William Darling
Mus. : Samuel Kaylin
Mont. : Alfred De Gaetano
Dist. : 20th Century - Fox
Durée : 80 mn.

Int. : Will Rogers *(Dr. John Pearly),* Anne Shirley *(Fleety Belle),* Eugene Pallette *(shérif Rufe Jeffers),* John McGuire *(Duke),* Berton Churchill *(« le nouveau Moïse »)*, Stepin Fetchit *(George Lincoln Washington),* Francis Ford *(Efe),* Irvin S. Cobb *(capitaine Eli),* Roger Imhof *(Pappy),* Raymond Hatton *(Matt Abel),* Hobart Bosworth *(Chaplin),* Louis Mason *(organisateur de la course),* Charles B. Middleton *(père de Fleety),* Si Jenks *(ivrogne),* Jack Pennick *(chef des assaillants).*

Je n'ai pas tué Lincoln (1936)
The Prisoner of Shark Island

Prod. : Darryl F. Zanuck
Scén. : Nunnally Johnson, d'ap. la biographie du Dr. Samuel A. Mudd
Images : Bert Glennon

Déc. : William Darling
Mus. : Louise Silvers
Mont. : Jack Murray
Dist. : 20th Century - Fox
Durée : 95 mn.

Int. : Warner Baxter *(Dr. Samuel A. Mudd)*, Gloria Stuart *(Mrs. Peggy Mudd)*, Claude Gillingwater *(colonel Jeremiah Milford Dyer)*, Arthur Byron *(Mr. Erickson)*, O.P. Heggie *(Dr. McIntyre)*, Harry Carey *(commandant du fort)*, Francis Ford *(caporal O'Toole)*, John Carradine *(sergent Rankin)*, Frank McGlynne, Sr. *(Abraham Lincoln)*, Douglas Wood *(général Ewing)*, Joyce Kay *(Martha Mudd)*, Fred Kohler, Jr. *(sergent Cooper)*, Francis McDonald *(John Wilkes Booth)*, John McGuire *(lieutenant Lovell)*, Ernest Whitman *(Buckingham Montmorency Milford)*, Paul Fix *(David Herold)*, Frank Shannon *(Holt)*, Leila McIntyre *(Mrs. Lincoln)*, Etta McDaniel *(Rosabelle Milford)*, Arthur Loft *(profiteur nordiste)*, Jack Pennick *(soldat)*, J.M. Kerrigan *(le juge Mayben)*, Robert Parrish.

Mary Stuart (1936)
Mary of Scotland

Prod. : Pandro S. Berman
Scén. : Dudley Nichols, d'ap. la pièce de Maxwell Anderson
Images : Joseph H. August
Déc. : Van Nest Polglase, Carroll Clark
Mus. : Max Steiner
Mont. : Jane Loring
Dist. : RKO
Durée : 123 mn.

Int. : Katharine Hepburn *(Marie Stuart)*, Fredric March *(Bothwell)*, Florence Eldridge *(Elisabeth)*, Douglas Walton *(Darnley)*, John Carradine *(David Rizzio)*, Monte Blue *(Messager)*, Jean Fenwick *(Mary Seton)*, Robert Barrat *(Morton)*, Gavin Muir *(Leicester)*, Ian Keith *(James Stuart Moray)*, Moroni Olsen *(John Knox)*, Donald Crisp *(Huntley)*, William Stack *(Ruthven)*, Milly Lamont *(Mary Livingston)*, Walter Byron *(sir Francis Walsingham)*, Ralph Forbes *(Randolph)*, Alan Mowbray *(Trockmorton)*, Frieda Inescort *(Mary Beaton)*, David Torrence *(Lindsay)*, Anita Colby *(Mary Fleming)*.

Révolte à Dublin (1936)
The Plough and the Stars

Prod. : Cliff Reid, Robert Sisk
Scén. : Dudley Nichols, d'ap. la pièce de Sean O'Casey *La Charrue et les étoiles*
Images : Joseph H. August
Déc. : Van Nest Polglase
Mus. : Nathaniel Shilkret, Roy Webb
Mont. : George Hively
Dist. : RKO
Durée : 67 mn.

Int. : Barbara Stanwyck *(Mora Clitheroe),* Preston Foster *(Jack Clitheroe),* Barry Fitzgerald *(Fluther Good),* Dennis O'Day *(le jeune Covey),* Eileen Crowe *(Bessie Burgess),* Arthur Shields *(Padraic Pearse),* Erin O'Brien Moore *(Rosie Redmond),* Brandon Hurst *(sergent Tinley),* F.J. McCormick *(capitaine Brennon),* Una O'Connor *(Maggie Corgan),* Moroni Olsen *(général Connolly),* J.M. Kerrigan *(Peter Flynn),* Neil Fitzgerald *(lieutenant Kangon),* Bonita Granville *(Mollser Gogan),* Cyril McLaglen *(caporal Stoddart),* Robert Homans *(barman),* Mary Gordon *(1re femme),* Mary Quinn *(2e femme),* Lionel Pape *(Anglais).*

La Mascotte du régiment (1937)
Wee Willie Winkie

Prod. : Darryl F. Zanuck
Scén. : Ernest Pascal et Julian Josephson, d'ap. la nouvelle de Kipling
Images : Arthur Miller
Déc. : William Darling
Mus. : Louis Silvers
Mont. : Walter Thompson
Dist. : 20th Century - Fox
Durée : 99 mn.

Int. : Shirley Temple *(Priscilla Williams),* Victor McLaglen *(sergent MacDuff),* C. Aubrey Smith *(colonel Williams),* June Lang *(Joyce Williams),* Michael Whalen *(lieutenant « Coppy » Brandes*), Cesar Romero *(Khoda Khan),* Constance Collier *(Mrs. Allardyce),* Douglas Scott *(Mott),* Gavin Muir *(capitaine Bibberbeigh),* Willie Fung *(Mohammed Dihn),* Brandon Hurst

Shirley Temple, la « mascotte du régiment »

(Bagby), Lionel Pape *(commandant Allardyce)*, Clyde Cook *(Pipe Major Sneath)*, Lauri Beatty *(Elsi Allardyce)*, Lionel Braham *(général Hammond)*, Mary Forbes *(Mrs. MacMonachie)*, Cyril McLaglen *(caporal Tummel)*, Pat Somerset *(officier)*, Hector Sarno *(contrôleur)*, Jack Pennick.

Hurricane (1937)
The Hurricane

Prod. : Samuel Goldwyn
Scén. : Dudley Nichols et Ben Hecht, d'ap. l'adaptation par Oliver H.P. Garrett du roman de Charles Nordhoff et James Norman Hall
Images : Bert Glennon, Archie Stout
Déc. : Richard Day, Alex Golitzen
Mus. : Alfred Newman
Mont. : Lloyd Nosler
Dist. : United Artists
Durée : 102 mn.

Int. : Dorothy Lamour *(Marama)*, Jon Hall *(Terangi)*, Mary

Astor *(Mrs. DeLaage)*, C. Aubrey Smith *(père Paul)*, Thomas Mitchell *(Dr. Kersaint)*, Raymond Massey *(le gouverneur Eugene DeLaage)*, John Carradine *(garde)*, Jerome Cowan *(capitaine Nagle)*, Al Kikume *(le chef Meheir)*, Kuulei DeClercq *(Tita)*, Layne Tom, Jr. *(Mako)*, Mamo Clark *(Hitia)*, Movita Castenada *(Arai)*, Reri *(Reri)*, Francis Kaai *(Tavi)*, Pauline Steele *(Mata)*, Flora Hayes *(Mama Rua)*, Mary Shaw *(Marunga)*, Spencer Charters *(juge)*, Roger Drake *(capitaine des gardes)*.

Remake par Jan Troell : *L'Ouragan* (*Hurricane*, 1979).

Quatre Hommes et une prière (1938)
Four Men and a Prayer

Prod. : Darryl F. Zanuck
Scén. : Richard Sherman, Sonya Levien, Walter Ferris et William Faulkner, d'ap. le roman de David Garth
Images : Ernest Palmer

Cinéma impérial : David Niven, George Sanders, Richard Greene, William Henry et C. Aubrey Smith dans *Quatre Hommes et une prière*

Déc. : Bernard Herzbrun, Rudolph Sternad
Mus. : Louis Silvers, Ernst Toch
Mont. : Louis R. Loeffler
Dist. : 20th Century - Fox
Durée : 85 mn.

Int. : Loretta Young *(Lynn Cherrington),* Richard Greene *(Geoffrey Leigh),* George Sanders *(Wyatt Leigh),* David Niven *(Christopher Leigh),* William Henry *(Rodney Leigh),* C. Aubrey Smith *(colonel Loring Leigh),* J. Edward Bromberg *(général Torres),* Alan Hale *(Farnoy),* John Carradine *(général Adolfo Arturo Sebastian),* Reginald Denny *(Douglas Loveland),* Berton Churchill *(Martin Cherrington),* Claude King *(général Bryce),* John Sutton *(capitaine Drake),* Barry Fitzgerald *(Mulcahy),* Cecil Cunningham *(Pyer),* Frank Baker *(avocat),* Frank Dawson, Lina Basquette *(Ah-nee),* Winter Hall *(juge),* Will Stanton *(Cockney).*

Patrouille en mer (1938)
Submarine Patrol

Prod. : Darryl F. Zanuck
Scén. : Rian James, Darrell Ware, Jack Yellen et William Faulkner, d'ap. le roman de John Milholland *The Splinter Fleet*
Images : Arthur Miller
Déc. : William Darling, Hans Peters
Mus. : Arthur Lange
Mont. : Robert Simpson
Dist. : 20th Century - Fox
Durée : 95 mn.

Int. : Richard Greene *(Perry Townsend III),* Nancy Kelly *(Susan Leeds),* Preston Foster *(lieutenant John C. Drake),* George Bancroft *(capitaine Leeds),* Slim Summerville *(« Cookie »),* Joan Valerie *(Anne),* John Carradine *(Matt McAllison),* Warren Hymer *(Rocky Haggerty),* Henry Armetta *(Luigi),* Douglas Fowley *(Brett),* J. Farrell MacDonald *(Quincannon),* Dick Hogan *(Johnny),* Maxie Rosenbloom *(sergent Joe Duffy),* Ward Bond *(Olaf Swanson),* Robert Lowery *(Sparks),* Charles Tannen *(Kelly),* George E. Stone *(Irving Goldfarb),* Moroni Olsen *(capitaine Wilson),* Jack Pennick *(Guns McPeck),* Elisha Cook, Jr. *(« Professeur » Pratt).*

La Chevauchée fantastique (1939)
Stagecoach

Prod. : Walter Wanger
Scén. : Dudley Nichols, d'ap. la nouvelle d'Ernest Haycox « Stage to Lordsburg »
Images : Bert Glennon. Extérieurs tournés à Monument Valley (Arizona)
Déc. : Alexander Toluboff, Wiard B. Ihnen
Mus. : Richard Hageman, W. Franke Harling, John Leipold, Leo Shuken, Louis Gruenberg
Mont. : Otho Lovering, Dorothy Spencer, Walter Reynolds
Dist. : United Artists
Durée : 97 mn.

Int. : John Wayne *(Ringo Kid),* Claire Trevor *(Dallas),* John Carradine *(Hatfield),* Thomas Mitchell *(Dr. Josiah Boone),* Andy Devine *(Buck),* Donald Meek *(Samuel Peacock),* Louise Platt *(Lucy Mallory),* Tim Holt *(lieutenant Blanchard),* George Bancroft *(shérif Curly Willcox),* Berton Churchill *(Henry Gatewood),* Tom Tyler *(Hank Plummer),* Chris Pin Martin *(Chris),* Elvira Rios *(Yakima),* Francis Ford *(Billy Pickett),* Marga Daighton *(Mrs. Pickett),* Kent Odell *(Billy Pickett, Jr.),* Yakima Canutt, Chief Big Tree *(cascadeurs),* Harry Tenbrook *(télégraphiste),* Jack Pennick *(Jerry).*

Premier tournage à Monument Valley.

Remakes par Gordon Douglas : *La Diligence vers l'Ouest* (*Stagecoach,* 1966) et par Ted Post : *La Diligence de Tombstone,* téléfilm de 1986.

Cassette disponible en VF (Ciné Collection).

Vers sa destinée (1939)
Young Mr. Lincoln

Prod. : Darryl F. Zanuck pour Cosmopolitan
Scén. : Lamar Trotti, d'ap. la biographie d'Abraham Lincoln
Images : Bert Glennon, Arthur Miller
Déc. : Richard Day, Mark Lee Kirk
Mus. : Alfred Newman
Mont. : Walter Thompson
Dist. : 20th Century - Fox
Durée : 101 mn.

Int. : Henry Fonda *(Lincoln),* Alice Brady *(Abigail Clay),* Marjorie Weaver *(Mary Todd),* Dorris Bowdon *(Carrie Sue Clay),* Eddie Collins *(Efe Turner),* Pauline Moore *(Ann Rutledge),* Arleen Whelan *(Sarah Clay),* Richard Cromwell *(Matt Clay),* Ward Bond (*J. Palmer Cass*), Donald Meek *(John Felder),* Spencer Charters *(le juge Herbert A. Bell),* Eddie Quillan *(Adam Clay),* Milburn Stone *(Stephen Douglas),* Cliff Clark *(shérif Billings),* Robert Lowery *(juré),* Charles Tannen *(Ninian Edwards),* Francis Ford *(Sam Boone),* Fred Kohler, Jr. *(Scrub White),* Kay Linaker *(Mrs. Edwards),* Russell Simpson *(Woolridge),* Charles Halton *(Hawthorne),* Edwin Maxwell *(John T. Stuart),* Jack Pennick *(Big Buck).*

Sur la piste des Mohawks (1939)
Drums Along the Mohawk

Prod. : Darryl F. Zanuck
Scén. : Lamar Trotti, Sonya Levien et William Faulkner, d'ap. le roman de Walter D. Edmonds
Images : Bert Glennon, Ray Rennahan (Technicolor)
Déc. : Richard Day, Mark Lee Kirk
Mus. : Alfred Newman
Mont. : Robert Simpson
Dist. : 20th Century - Fox
Durée : 103 mn.

Int. : Claudette Colbert *(Lana Borst Martin),* Henry Fonda *(Gilbert Martin),* Edna May Oliver *(Mrs. McKlennan),* Eddie Collins *(Christian Reall),* John Carradine *(Caldwell),* Dorris Bowdon *(Mary Reall),* Jessie Ralph *(Mrs. Weaver),* Arthur Shields *(le pasteur Rosenkranz),* Robert Lowery *(John Weaver),* Roger Imhof *(général Herkimer),* Francis Ford *(Joe Boleo),* Ward Bond *(Adam Hartmann),* Kay Linaker *(Mrs. Demooth),* Russell Simpson *(Dr. Petry),* Chief Big Tree *(Blue Back),* Spencer Charters *(Fisk),* Arthur Aylesworth *(George),* Si Jenks *(Jacobs),* Jack Pennick *(Amos),* Charles Tannen *(Robert Johnson),* Edwin Maxwell *(pasteur),* Mae Marsh.

Premier film en couleurs.

Les Raisins de la colère (1940)
The Grapes of Wrath

Prod. : Darryl F. Zanuck
Scén. : Nunnally Johnson, d'ap. le roman de John Steinbeck

Images : Gregg Toland
Déc. : Richard Day, Mark Lee Kirk
Mus. : Alfred Newman
Mont. : Robert Simpson
Dist. : 20th Century - Fox
Durée : 129 mn.

Int. : Henry Fonda *(Tom Joad),* Jane Darwell *(Ma Joad),* John Carradine *(Casey),* Charley Grapewin *(Grampa Joad),* Dorris Bowdon *(Rosasharn),* Russell Simpson *(Pa Joad),* O.Z. Whitehead *(Al),* John Qualen *(Muley),* Eddie Quillan *(Connie),* Zeffie Tilbury *(Grandma Joad),* Frank Sully *(Noah),* Frank Darien *(Oncle John),* Darryl Hickman *(Winfield),* Shirley Mills *(Ruth Joad),* Grant Mitchell *(directeur du camp),* Ward Bond *(agent de police),* Frank Faylen *(Tim),* Joe Sawyer *(comptable),* Harry Tyler *(Bert),* Charles B. Middleton *(chef du convoi),* Mae Marsh, Francis Ford, Jack Pennick.

Les Hommes de la mer *ou* Le Long Voyage (1940)
The Long Voyage Home

Prod. : Walter Wanger pour Argosy Pictures
Scén. : Dudley Nichols, d'ap. les pièces de Eugene O'Neill

Les Hommes de la mer : Thomas Mitchell, John Qualen, Barry Fitzgerald, John Wayne, Jack Pennick, Arthur Shields

The Moon of the Caribbees, In the Zone, Bound East for Cardiff et *The Long Voyage Home*
Images : Gregg Toland
Déc. : James Basevi
Mus. : Richard Hageman
Mont. : Sherman Todd
Dist. : United Artists
Durée : 105 mn.

Int. : Thomas Mitchell *(Aloysius Driscoll),* John Wayne *(Ole Olsen),* Ian Hunter *(« Smitty »),* Barry Fitzgerald *(Cocky),* Wilfred Lawson *(capitaine),* Mildred Natwick *(Freda),* John Qualen *(Axel Swanson),* Ward Bond *(Yank),* Joe Sawyer *(Davis),* Arthur Shields *(Donkeyman),* J.M. Kerrigan *(Crimp),* David Hughes *(Scotty),* Billy Bevan *(Joe),* Cyril McLaglen *(second),* Robert E. Perry *(Paddy),* Jack Pennick *(Johnny Bergman),* Constantin Frenke *(Narvey),* Constantin Romanoff *(Big Frank),* Dan Borzage *(Tim),* Harry Tenbrook *(Max).*

La Route au tabac (1941)
Tobacco Road

Prod. : Darryl F. Zanuck
Scén. : Nunnally Johnson, d'ap. le roman d'Erskine Caldwell et son adaptation théâtrale par Jack Kirkland
Images : Arthur C. Miller
Déc. : Richard Day, James Basevi
Mus. : David Buttolph
Mont. : Barbara McLean
Dist. : 20th Century - Fox
Durée : 84 mn.

Int. : Charley Grapewin *(Jeeter Lester),* Marjorie Rambeau *(Sister Bessie),* Gene Tierney *(Ellie May Lester),* William Tracy *(Dude Lester),* Elizabeth Patterson *(Ada Lester),* Dana Andrews *(Dr. Tim),* Slim Summerville *(Henry Peabody),* Ward Bond *(Lov Bensey),* Grant Mitchell *(George Payne),* Zeffie Tilbury *(Grandma Lester),* Russell Simpson *(shérif),* Spencer Charters *(employé),* Irving Bacon *(caissier),* Harry Tyler *(vendeur de voitures),* George Chandler *(employé),* Charles Halton *(maire),* Jack Pennick *(shérif adjoint),* Dorothy Adams *(secrétaire de Payne),* Francis Ford *(vagabond).*

Sex Hygiene (1941)

Prod. : Darryl F. Zanuck pour Audio Productions - U.S. Army
Images : George Barnes
Durée : 30 mn.

Int. : Charles Trowbridge, Robert Lowery, George Reeves.

Documentaire produit pour l'Armée de terre américaine et destiné à mettre en garde contre les maladies vénériennes.

Qu'elle était verte ma vallée (1941)
How Green Was My Valley

Prod. : Darryl F. Zanuck
Scén. : Philip Dunne, d'ap. le roman de Richard Llewellyn
Images : Arthur Miller
Déc. : Richard Day, Nathan Juran
Mus. : Alfred Newman
Mont. : James B. Clark
Dist. : 20th Century - Fox
Durée : 118 mn.

Int. : Walter Pidgeon *(Mr. Gruffydd),* Maureen O'Hara *(Angharad Morgan),* Donald Crisp *(Gwilym Morgan),* Sara Allgood *(Mrs. Morgan),* Anna Lee *(Bronwyn Morgan),* Roddy McDowall *(Huw Morgan),* John Loder *(Ianto Morgan),* Patrick Knowles *(Ivor Morgan),* Richard Fraser *(Davy Morgan),* James Monks *(Owen Morgan),* Barry Fitzgerald *(Cyfartha),* les Welsh Singers *(chanteurs),* Morton Lowery *(Mr. Jonas),* Arthur Shields *(Mr. Parry),* Ann Todd *(Ceiwen),* Frederick Worlock *(Dr. Richards),* Evan E. Evans *(Gwinlyn),* Rhys Williams *(Dai Bando),* Lionel Pape *(le vieux Evans),* Ethel Griffies *(Mrs. Nicholas),* Mae Marsh *(femme de mineur).*

The Battle of Midway (1942)

Prod. : U.S. Navy
Images : Ford, Jack McKenzie, lieutenant Kenneth M. Pier, Gregg Toland (Kodachrome/ Technicolor)
Mus. : Alfred Newman
Mont. : Ford, Robert Parrish
Dist. : 20th Century-Fox
Durée : 17 mn.

Documentaire produit par la Marine américaine, sur la bataille navale de Midway.

Torpedo Squadron (1942)
Prod. : U.S. Navy
Kodachrome
Durée : 8 mn.
Documentaire, produit par la Marine américaine, sur la vie à bord d'une vedette lance-torpilles (PT boat).

December 7th (1943)
Prod. : U.S. Navy
Réal. : Gregg Toland, Ford
Images : Gregg Toland
Mus. : Alfred Newman
Mont. : Robert Parrish
Durée : 85 mn.

Int. : Harry Davenport, Walter Huston.

Documentaire, produit par la Marine américaine, sur Hawaii avant et après l'attaque japonaise sur Pearl Harbor.

Les Sacrifiés (1945)
They Were Expendable

Prod. : Ford
Scén. : Frank W. Wead, d'ap. le livre de William L. White
Images : Joseph H. August
Déc. : Cedric Gibbons, Malcolm F. Brown
Mus. : Herbert Stothart
Mont. : Frank E. Hull, Douglas Biggs
Dist. : MGM
Durée : 136 mn.

Int. : Robert Montgomery *(lieutenant John Brickley),* John Wayne *(lieutenant Rusty Ryan),* Donna Reed *(lieutenant Sandy Davis),* Jack Holt *(général Martin),* Ward Bond *(Boots Mulcahey),* Louis Jean Heydt *(Ohio),* Marshall Thompson *(Snake Gardner),* Russell Simpson *(Dad),* Leon Ames *(commandant Morton),* Paul Langton *(Andy Andrews),* Arthur Walsh *(Jones),* Donald Curtis *(Shorty Long),* Cameron Mitchell *(George Cross),* Jeff York *(Tony Aiken),* Murray Alper *(Slug Mahan),* Harry Tenbrook *(Larsen),* Jack Pennick *(Doc Charlie),* Charles Trowbridge *(amiral Blackwell),* Robert Barrat *(général Douglas MacArthur),* Blake Edwards.

La Poursuite infernale (1946)
My Darling Clementine

Prod. : Samuel G. Engel
Scén. : Engel et Winston Miller, d'ap. le sujet de Sam Hellman, inspiré par le livre de Stuart N. Lake *Wyatt Earp, Frontier Marshall*
Images : Joseph P. McDonald. Extérieurs tournés à Monument Valley
Déc. : James Basevi, Lyle R. Wheeler
Mus. : Cyril J. Mockridge
Mont. : Dorothy Spencer, Darryl F. Zanuck
Dist. : 20th Century-Fox
Durée : 97 mn.

Int. : Henry Fonda *(Wyatt Earp),* Linda Darnell *(Chihuahua),* Victor Mature *(Doc John Holliday),* Walter Brennan *(Old Man Clanton),* Tim Holt *(Virgil Earp),* Ward Bond *(Morgan Earp),* Cathy Downs *(Clementine Carter),* Alan Mowbray *(Granville Thorndyke),* John Ireland *(Billy Clanton),* Grant Withers *(Ike Clanton),* Roy Roberts *(le maire),* Jane Darwell *(Kate Nelson),* Russell Simpson *(John Simpson),* Francis Ford *(Dad),* J. Farrell MacDonald *(Mac),* Don Garner *(James Earp),* Ben Hall *(coiffeur),* Arthur Walsh *(réceptionniste),* Jack Pennick, Robert Adler *(conducteurs de la diligence),* Mae Marsh.

Les personnages de Wyatt Earp et de Doc Holliday et le règlement de comptes à O.K. Corral ont inspiré aussi Allan Dwan : *Frontier Marshall* (1939) et John Sturges : *Règlement de comptes à O.K. Corral (Gunfight at the O.K. Corral,* 1957). Wyatt Earp est le héros de nombreux westerns, parmi lesquels *Un jeu risqué (Wichita,* 1955) de Jacques Tourneur. Wyatt Earp et Doc Holliday reparaissent en outre dans *Les Cheyennes* (Ford, 1964).

Dieu est mort (1947)
The Fugitive

Prod. : Ford et Merian C. Cooper pour Argosy Pictures
Scén. : Dudley Nichols, d'ap. le roman de Graham Greene *La Puissance et la gloire*
Images : Gabriel Figueroa. Tournage au Mexique
Déc. : Alfred Ybarra
Mus. : Richard Hageman

Composition hiératique : Henry Fonda et Pedro Armendariz dans *Dieu est mor*

Mont. : John Murray
Dist. : RKO
Durée : 104 mn.

Int. : Henry Fonda *(le fugitif)*, Dolores Del Rio *(Indienne)*, Pedro Armendariz *(lieutenant de police)*, Ward Bond *(Gringo)*, Leo Carrillo *(chef de la police)*, John Qualen *(médecin réfugié)*, Fortunio Bonanova *(cousin du gouverneur)*, Chris Pin Martin *(organiste)*, Miguel Inclan *(otage)*, Fernando Fernandez *(chanteur)*, Jose I. Torvay *(Mexicain)*, Melchor Ferrer.

Cassette disponible en VF (Ciné Collection).

Le Massacre de Fort Apache (1948)
Fort Apache

Prod. : Ford et Merian C. Cooper pour Argosy Pictures
Scén. : Frank S. Nugent, d'ap. la nouvelle de James Warner Bellah « Massacre »
Images : Archie Stout, William Clothier. Extérieurs tournés dans l'Utah et à Monument Valley
Déc. : James Basevi
Mus. : Richard Hageman
Mont. : Jack Murray
Dist. : RKO
Durée : 127 mn.

Int. : John Wayne *(capitaine Kirby York)*, Henry Fonda *(lieutenant-colonel Owen Thursday)*, Shirley Temple *(Philadelphia Thursday)*, John Agar *(lieutenant Michael O'Rourke)*, Ward Bond *(sergent-chef O'Rourke)*, George O'Brien *(capitaine Sam Collingwood)*, Victor McLaglen *(sergent Mulcahy)*, Pedro Armendariz *(sergent Beaufort)*, Anna Lee *(Mrs. Collingwood)*, Irene Rich *(Mrs. O'Rourke)*, Guy Kibbee *(Dr. Wilkens)*, Grant Withers *(Silas Meachum)*, Miguel Inclan *(Cochise)*, Jack Pennick *(sergent Shattuck)*, Mae Marsh *(Mrs. Gates)*, Dick Foran *(sergent Quincannon)*, Frank Ferguson *(journaliste)*, Francis Ford *(barman)*, Ray Hyke *(Gates)*, Movita Castenada *(Guadalupe)*, Hank Worden *(recrue sudiste)*, Ben Johnson *(cascadeur)*.

Traitement déguisé de la défaite de Custer et du 7e Régiment de Cavalerie à Little Big Horn, incident qui inspira de nombreux réalisateurs, dont Raoul Walsh : *La Charge fantastique* (*They Died with Their Boots On,* 1941), Joseph H. Lewis : *7th*

Cavalry (1956) et Arthur Penn : *Little Big Man ou les extravagantes aventures d'un visage pâle* (1970).

Cassette disponible en VF (Ciné Collection).

Le Fils du désert (1948)
3 Godfathers

Prod. : Ford et Merian C. Cooper pour Argosy Pictures
Scén. : Laurence Stallings et Frank S. Nugent, d'ap. la nouvelle de Peter B. Kyne
Images : Winton C. Hoch, Charles P. Boyle (Technicolor)
Déc. : James Basevi
Mus. : Richard Hageman
Mont. : Jack Murray
Dist. : MGM
Durée : 106 mn.

Int. : John Wayne *(Robert Marmaduke Sangster Hightower),* Pedro Armendariz *(Pedro Roca Fuerte),* Harry Carey, Jr. *(« Abilene Kid »)*, Ward Bond *(Perley « Buck » Sweet)*, Mildred Natwick *(la mère),* Charles Halton *(Mr. Latham),* Jane Darwell *(Miss Florie),* Mae Marsh *(Mrs. Sweet),* Guy Kibbee *(juge),* Dorothy Ford *(Ruby Latham),* Ben Johnson, Michael Dugan, Don Summers *(agents de police),* Fred Libby, Hank Worden *(shérifs adjoints),* Jack Pennick *(Luke),* Francis Ford *(ivrogne),* Ruth Clifford *(femme dans le bar).*

Remake des *Hommes marqués* (1919).

La Charge héroïque (1949)
She Wore a Yellow Ribbon

Prod. : Ford et Merian C. Cooper pour Argosy Pictures
Scén. : Frank S. Nugent et Laurence Stallings, d'ap. la nouvelle de James Warner Bellah « War Party »
Images : Winton C. Hoch, Charles P. Boyle (Technicolor). Extérieurs tournés à Monument Valley
Déc. : James Basevi
Mus. : Richard Hageman
Mont. : Jack Murray
Dist. : RKO
Durée : 103 mn.

Int. : John Wayne *(capitaine Nathan Brittles),* Joanne Dru *(Olivia),* John Agar *(lieutenant Flint Cohill),* Ben Johnson *(sergent Tyree),* Harry Carey, Jr. *(lieutenant Pennell),* Victor McLaglen *(sergent Quincannon),* Mildred Natwick *(Mrs. Allshard),* George O'Brien *(commandant Allshard),* Arthur Shields *(Dr. O'Laughlin),* Francis Ford *(barman),* Harry Woods *(Karl Rynders),* Chief Big Tree *(Pony That Walks),* Noble Johnson *(Red Shirt),* Cliff Lyons *(soldat Cliff),* Tom Tyler *(Quayne),* Michael Dugan *(Hochbauer),* Mickey Simpson *(Wagner),* Fred Graham *(Hench),* Frank McGrath *(trompette),* Don Summers *(Jenkins),* Jack Pennick *(sergent-chef).*

Cassette disponible en VF (Ciné Collection).

Planqué malgré lui (1950)
When Willie Comes Marching Home

Prod. : Fred Kohlmar
Scén. : Mary Loos et Richard Sale, d'ap. la nouvelle de Sy Gomberg « When Leo Comes Marching Home »
Images : Leo Tover
Déc. : Lyle R. Wheeler, Chester Gore
Mus. : Alfred Newman
Mont. : James B. Clark
Dist. : 20th Century - Fox
Durée : 82 mn.

Int. : Dan Dailey *(Bill Kluggs),* Corinne Calvet *(Yvonne),* Colleen Townsend *(Marge Fettles),* Lloyd Corrigan *(commandant Adams),* William Demarest *(Herman Kluggs),* James Lydon *(Charles Fettles),* Evelyn Varden *(Gertrude Kluggs),* Kenny Williams, Lee Clark *(musiciens),* Charles Halton *(Mr. Fettles),* Mae Marsh *(Mrs. Fettles),* Jack Pennick *(sergent),* Mickey Simpson *(Kerrigan),* Frank Pershing *(commandant Bickford),* Don Summers *(Sherve),* Gil Herman *(capitaine Crown),* Peter Ortiz *(Pierre),* Luis Alberni *(barman),* John Shulick *(pilote),* Hank Worden *(chef des chœurs),* J. Farrell MacDonald, Vera Miles.

Le Convoi des braves (1950)
Wagon Master

Prod. : Ford et Merian C. Cooper pour Argosy Pictures
Scén. : Frank S. Nugent, Patrick Ford
Images : Bert Glennon, Archie Stout. Extérieurs tournés à Monument Valley et à Professor Valley (Utah)

Déc. : James Basevi
Mus. : Richard Hageman
Mont. : Jack Murray
Dist. : RKO
Durée : 86 mn.

Int. : Ben Johnson *(Travis Blue),* Harry Carey, Jr. *(Sandy Owens),* Joanne Dru *(Denver),* Ward Bond *(Elder Wiggs),* Charles Kemper *(Oncle Shiloh Clegg),* Alan Mowbray *(Dr. A. Locksley Hall),* Jane Darwell *(Sœur Ledeyard),* Ruth Clifford *(Fleuretty Phyffe),* Russell Simpson *(Adam Perkins),* Kathleen O'Malley *(Prudence Perkins),* James Arness *(Floyd Clegg),* Fred Libby *(Reese Clegg),* Hank Worden *(Luke Clegg),* Mickey Simpson (*Jesse Clegg*), Francis Ford *(Mr. Peachtree),* Cliff Lyons *(shérif),* Don Summers *(Sam Jenkins),* Movita Castenada *(jeune femme navajo),* Jim Thorpe *(Navajo),* Chuck Haywood *(Jackson).*

Cassette disponible en VF (Ciné Collection).

Rio Grande (1950)
Rio Grande

Prod. : Ford et Merian C. Cooper pour Argosy Pictures
Scén. : James Kevin McGuinness, d'ap. la nouvelle de James Warner Bellah « Mission with No Record »
Images : Bert Glennon, Archie Stout. Extérieurs tournés à Monument Valley
Déc. : Frank Hotaling
Mus. : Victor Young
Mont. : Jack Murray
Dist. : Republic
Durée : 105 mn.

Int. : John Wayne *(lieutenant-colonel Kirby Yorke),* Maureen O'Hara *(Mrs. Yorke),* Ben Johnson *(soldat Tyree),* Claude Jarman, Jr. *(soldat Jeff Yorke),* Harry Carey, Jr. *(soldat Daniel Boone),* Chill Wills *(Dr. Wilkins),* J. Carroll Naish *(général Philip Sheridan),* Victor McLaglen *(sergent Quincannon),* Grant Withers *(shérif adjoint),* Peter Ortiz *(capitaine St. Jacques),* Steve Pendleton *(capitaine Prescott),* Karolyn Grimes *(Margaret Mary),* Alberto Morin *(lieutenant),* Stan Jones *(sergent),* Fred Kennedy *(Heinze),* Jack Pennick, Pat Wayne, Chuck Roberson, les Sons of the Pioneers *(chœurs du régiment).*

Cassette disponible en VF (Ciné Collection).

This Is Korea ! (1951)

Prod. : U.S. Navy
Images : Charles Bohuy, Bob Rhea, Mark Armistead (3-Strip Trucolor)
Dist. : Republic
Durée : 50 mn.

Documentaire sur les Marines pendant la guerre de Corée.

What Price Glory (1952)

Prod. : Sol C. Siegel
Scén. : Phoebe et Henry Ephro, Laurence Stallings, d'ap. la pièce de Maxwell Anderson
Images : Joseph MacDonald (Technicolor)
Déc. : Lyle R. Wheeler, George W. Davis
Mus. : Alfred Newman
Mont. : Dorothy Spencer
Dist. : 20th Century - Fox
Durée : 111 mn.

Int. : James Cagney *(capitaine Flagg),* Corinne Calvet *(Charmaine),* Dan Dailey *(sergent Quirt),* William Demarest *(caporal Kiper),* Craig Hill *(lieutenant Aldrich),* Robert Wagner *(Lewisohn),* Marisa Pavan *(Nicole Bouchard),* Casey Adams *(lieutenant Moore),* James Gleason *(général Cokely),* Wally Vernon *(Lipinsky),* Henry Letondal *(Cognac Pete),* Fred Libby *(lieutenant Schmidt),* Ray Hike *(Mulcahy),* Paul Fix *(Gowdy),* James Lilburn *(jeune soldat),* Henry Morgan *(Morgan),* Dan Borzage *(Gilbert),* Bill Henry *(Holsen),* Henry « Bomber » Kulkovich *(cuistot),* Jack Pennick *(Ferguson).*

Précédente adaptation par Raoul Walsh : *Au service de la gloire* (*What Price Glory,* 1926). En 1949, Ford avait « supervisé » une production de *What Price Glory* pour la scène.

L'Homme tranquille (1952)
The Quiet Man

Prod. : Ford, Merian C. Cooper et Michael Killanin pour Argosy Pictures
Scén. : Frank S. Nugent, d'ap. l'adaptation par Richard Lle-

wellyn de la nouvelle de Maurice Walsh
Images : Winton C. Hoch, Archie Stout (Technicolor). Extérieurs tournés en Irlande
Déc. : Frank Hotaling
Mus. : Victor Young
Mont. : Jack Murray
Dist. : Republic
Durée : 129 mn.

Int. : John Wayne *(Sean Thornton),* Maureen O'Hara *(Mary Kate Danaher),* Barry Fitzgerald *(Michaeleen Og Flynn),* Ward Bond *(père Peter Lonergan),* Victor McLaglen *(Red Will Danaher),* Mildred Natwick *(Mrs. Sarah Tillane),* Francis Ford *(Dan Tobin),* Eileen Crowe *(Mrs. Elizabeth Playfair),* May Craig *(femme à la gare),* Arthur Shields *(Rév. Cyril Playfair),* Charles FitzSimmons *(Forbes),* Sean McClory *(Owen Glynn),* James Lilburn *(père Paul),* Jack McGowran *(Feeney),* Ken Curtis *(Dermot Fahy),* Mae Marsh *(mère du père Paul),* Harry Tenbrook *(agent de police),* commandant Sam Harris *(général),* Joseph O'Dea *(garde),* Eric Gorman *(chef de train),* Hank Worden *(entraîneur),* Patrick Wayne, Antonia Wayne, Melinda Wayne, Michael Wayne *(enfants).*

Cassette disponible en VF (Ciné Collection).

Le soleil brille pour tout le monde (1953)
The Sun Shines Bright

Prod. : Ford et Merian C. Cooper pour Argosy Pictures
Scén. : Laurence Stallings, d'ap. les nouvelles d'Irvin S. Cobb « The Sun Shines Bright », « The Mob from Massac » et « The Lord Provides »
Images : Archie Stout
Déc. : Frank Hotaling
Mus. : Victor Young
Mont. : Jack Murray
Dist. : Republic
Durée : 90 mn.

Int. : Charles Winninger *(le juge William Pittman Priest),* Arleen Whelan *(Lucy Lee Lake),* John Russell *(Ashby Corwin),* Stepin Fetchit *(Jeff Poindexter),* Russell Simpson *(Dr. Lewt Lake),* Ludwig Stossel *(Herman Felsburg),* Francis Ford *(Brother Finney),* Paul Hurst *(sergent Jimmy Bagby),* Mitchell

Lewis *(Andy Radcliffe),* Grant Withers *(Buck),* Milburn Stone *(Horace K. Maydew),* Dorothy Jordan *(mère de Lucy),* Elzie Emanuel *(U.S. Grant Woodford),* Henry O'Neill *(Jody Habersham),* Slim Pickens *(Sterling),* James Kirkwood *(général Fairfield),* Mae Marsh *(amie d'Amora),* Jane Darwell *(Amora Ratchitt),* Ernest Whitman *(Oncle Pleasant Woodford),* Trevor Bardette *(Rufe),* Jack Pennick *(Beaker),* Patrick Wayne *(élève officier).*

Divers personnages, dont le principal, figuraient déjà dans *Judge Priest* (1934).

Mogambo (1953)
Mogambo

Prod. : Sam Zimbalist
Scén. : John Lee Mahin, d'ap. la pièce de Wilson Collison *Red Dust*
Images : Robert Surtees, Frederick A. Young (Technicolor). Tournage à Londres ; extérieurs : Tanganyika, Kenya, Ouganda, Afrique équatoriale française
Déc. : Alfred Junge
Mont. : Frank Clarke
Dist. : MGM
Durée : 116 mn.

Int. : Clark Gable *(Victor Marswell),* Ava Gardner *(Eloise Y. Kelly),* Grace Kelly *(Linda Nordley),* Donald Sinden *(Donald Nordley),* Philip Stainton *(John Brown Pryce),* Erick Pohlmann *(Leon Boltchak),* Laurence Naismith *(Skipper John),* Denis O'Dea *(père Joseph),* Asa Etula *(indigène).*

Précédente adaptation par Victor Fleming : *La Belle de Saigon (Red Dust,* 1932).

Cassette disponible en VO (MGM/UA Home Video « Les géants d'Hollywood »).

Ce n'est qu'un au revoir (1955)
The Long Gray Line

Prod. : Robert Arthur pour Rota Productions
Scén. : Edward Hope, d'ap. l'autobiographie de Marty Maher (en collaboration avec Nardi Campion) *Bringing up the Brass*
Images : Charles Lawton, Jr. (Technicolor/Cinémascope)

Tournage de *Ce n'est qu'un au revoir* à West Point

Déc. : Robert Peterson
Mus. : George Duning
Mont. : William Lyon
Dist. : Columbia
Durée : 138 mn.

Int. : Tyrone Power *(Martin Maher)*, Maureen O'Hara *(Mary O'Donnell)*, Robert Francis *(James Sundstrom, Jr.)*, Donald Crisp *(le vieux Maher)*, Ward Bond *(capitaine Herman J. Koehler)*, Betsy Palmer *(Kitty Carter)*, Phil Carey *(Charles Dotson)*, William Leslie *(Red Sundstrom)*, Harry Carey, Jr. *(Dwight Eisenhower)*, Patrick Wayne *(Cherub Overton)*, Sean McClory *(Dinny Maher)*, Peter Graves *(sergent Rudolph Heinz)*, Milburn Stone *(capitaine John Pershing)*, Erin O'Brien-Moore *(Mrs. Koehler)*, Walter D. Ehlers *(Mike Shannon)*, Don Barclay *(commandant Thomas)*, Martin Milner *(Jim O'Carberry)*, Chuck Courtney *(Whitey Larson)*, Willis Bouchey *(médecin)*, Jack Pennick *(Tommy)*.

Permission jusqu'à l'aube (1955)
Mr. Roberts

Réal. : Ford, Mervyn LeRoy
Prod. : Leland Hayward pour Orange Productions
Scén. : Frank Nugent et Joshua Logan, d'ap. le roman de Thomas Heggen et son adaptation théâtrale par Logan et Heggen
Images : Winton C. Hoch (Warnercolor/Cinémascope)
Déc. : Art Loel
Mus. : Franz Waxman
Mont. : Jack Murray
Dist. : Warner Brothers
Durée : 123 mn.

Int. : Henry Fonda *(lieutenant Roberts)*, James Cagney *(capitaine)*, Jack Lemmon *(enseigne Pulver)*, William Powell *(Doc)*, Ward Bond *(maître Dowdy)*, Betsy Palmer *(lieutenant Ann Girard)*, Phil Carey *(Mannion)*, Nick Adams *(Reber)*, Harry Carey, Jr. *(Stefanowski)*, Ken Curtis *(Dolan)*.

En désaccord avec Fonda, puis déprimé et malade, Ford est remplacé par Mervyn LeRoy.

La Révélation de l'année (1955)
Rookie of the Year

Prod. : Hal Roach Studios pour la série télévisée *Screen Directors Playhouse*
Scén. : Frank S. Nugent
Images : Hal Mohr
Durée : 29 mn.

Int. : John Wayne *(Mike Cronin)*, Vera Miles *(Ruth Delbert)*, Pat Wayne *(Lyn Goodhue)*, Ward Bond *(Larry Goodhue)*, James Gleason *(Ed Shaeffer)*, Willis Bouchey *(Mr. Cully)*, Henry Tyler *(Wright)*, William Forrest *(Walker)*, Robert Leyden *(Willie)*.

The Bamboo Cross (1955)

Prod. : William Asher pour Lewman Ltd. - Revue (série télévisée *Fireside Theatre)*
Scén. : Laurence Stallings, d'ap. la pièce de Theophane Lee
Images : John MacBurnie
Déc. : Martin Obzina
Mus. : Stanley Wilson

Mont. : Richard G. Wray
Durée : 27 mn.

Int. : Jane Wyman *(sœur Regina)*, Betty Lynn *(sœur Anne)*, Soo Yong *(Sichi Sao)*, Jim Hong *(Mark Chu)*, Judy Wong *(Tania)*, Don Summers *(Ho Kwong)*, Kurt Katch *(King Pat)*, Pat O'Malley *(prêtre)*, Frank Baker.

La Prisonnière du désert (1956)
The Searchers

Prod. : Merian C. Cooper et C.V. Whitney pour C.V. Whitney Pictures
Scén. : Frank S. Nugent, d'ap. le roman d'Alan LeMay
Images : Winton C. Hoch, Alfred Gilks (Technicolor/Vistavision). Extérieurs tournés dans le Colorado et à Monument Valley
Déc. : Frank Hotaling, James Basevi
Mus. : Max Steiner
Mont. : Jack Murray
Dist. : Warner Brothers
Durée : 119 mn.

Int. : John Wayne *(Ethan Edwards)*, Jeffrey Hunter *(Martin Pawley)*, Vera Miles *(Laurie Jorgensen)*, Ward Bond *(capitaine / Rév. Samuel Clayton)*, Natalie Wood *(Debbie Edwards)*, John Qualen *(Lars Jorgensen)*, Olive Carey *(Mrs. Jorgensen)*, Henry Brandon *(Scar)*, Ken Curtis *(Charlie McCorry)*, Harry Carey, Jr. *(Brad Jorgensen)*, Antonio Moreno *(Emilio Figueroa)*, Hank Worden *(Mose Harper)*, Lana Wood *(Debbie enfant)*, Walter Coy *(Aaron Edwards)*, Dorothy Jordan *(Martha Edwards)*, Pippa Scott *(Lucy Edwards)*, Pat Wayne *(lieutenant Greenhill)*, Beulah Archuletta *(Look)*, Jack Pennick *(soldat)*, Peter Mamokos *(Futterman)*, Mae Marsh *(femme au fort)*.

L'Aigle vole au soleil (1957)
The Wings of Eagles

Prod. : Charles Schnee
Scén. : Frank Fenton et William Wister Haines, d'ap. la biographie et les écrits du commandant Frank W. Wead
Images : Paul C. Vogel (Metrocolor)
Déc. : William A. Horning, Malcolm Brown
Mus. : Jeff Alexander

Mont. : Gene Ruggiero
Dist. : MGM
Durée : 110 mn.

Int. : John Wayne *(Frank W. « Spig » Wead)*, Maureen O'Hara *(Minne Wead)*, Dan Dailey *(Carson)*, Ward Bond *(John Dodge)*, Ken Curtis *(John Dale Price)*, Edmund Lowe *(amiral Moffett)*, Kenneth Tobey *(Herbert Allen Hazard)*, James Todd *(Jack Travis)*, Barry Kelley *(capitaine Jock Clark)*, Sig Ruman *(gérant)*, Henry O'Neill *(capitaine Spear)*, Willis Bouchey *(Barton)*, Dorothy Jordan *(Rose Brentmann)*, Peter Ortiz *(lieutenant Charles Dexter)*, Louis Jean Heydt *(Dr. John Keye)*, Tige Andrews *(Arizona Pincus)*, Dan Borzage *(Pete)*, William Tracy *(aviateur)*, Harlan Warde *(officier d'état-major)*, Jack Pennick *(Joe)*, Mae Marsh *(infirmière Crumley)*, Olive Carey *(Bridy O'Faolain)*.

Quand se lève la lune (1957)
The Rising of the Moon

Prod. : Michael Killanin pour Four Province Productions
Scén. : Frank S. Nugent, d'ap. la nouvelle de Frank O'Connor « The Majesty of the Law », la pièce de Michael J. McHugh *A Minute's Wait* et la pièce de Lady Gregory *The Rising of the Moon*
Images : Robert Krasker. Tournage en Irlande
Déc. : Ray Simm
Mus. : Eamonn O'Gallagher
Mont. : Michael Gordon
Dist. : Warner Brothers
Durée : 81 mn.

Int. (« The Majesty of the Law ») : Noel Purcell *(Dan O'Flaherty)*, Cyril Cusack *(inspecteur Michael Dillon)*, Jack McGowran *(Mickey J.)* ; (« A Minute's Wait ») : Jimmy O'Dea *(porteur)*, Tony Quinn *(chef de gare)*, Paul Farrell *(chauffeur)*, J.G. Devlin *(garde)*, Michael Trubshawe *(colonel Frobisher)*, Anita Sharp Bolster *(Mrs. Frobisher)*, Maureen Porter *(serveuse)* ; (« 1921 ») : Dennis O'Dea *(brigadier)*, Eileen Crowe *(sa femme)*, Maurice Good *(agent O'Grady)*, Frank Lawton *(commandant)*, Edward Lexy *(magistrat)*, Donald Donnelly *(Sean Curran)*, Joseph O'Dea *(chef des gardes)*, Maureen Cusack *(fausse religieuse)*.

The Growler Story (1957)

Prod. : Mark Armistead pour l'U.S. Navy
Eastmancolor
Mont. : Jack Murray
Durée : 22 mn.

Int. : Ward Bond *(Quincannon),* Ken Curtis *(capitaine Howard G. Gilmore).*

Film produit par la Marine américaine, à usage interne : reconstitution d'un épisode héroïque de la Seconde Guerre mondiale.

Inspecteur de service (1958)
Gideon's Day
(titre américain : ***Gideon of Scotland Yard)***

Prod. : Michael Killanin
Scén. : T.E.B. Clarke, d'ap. le roman de J.J. Marric
Images : Frederick A. Young (Technicolor). Tournage à Londres

Jack Hawkins dans *Inspecteur de service*

Déc. : Ken Adam
Mus. : Douglas Gamley
Mont. : Raymond Poulton
Dist. : Columbia
Durée : 91 mn.

Int. : Jack Hawkins *(inspecteur George Gideon)*, Dianne Foster *(Joanna Delafield)*, Anna Massey *(Sally Gideon)*, Anna Lee *(Mrs. Gideon)*, Cyril Cusack *(Herbert « Birdie » Sparrow)*, Andrew Ray *(agent Farnaby-Green)*, James Hayter *(Robert Mason)*, Ronald Howard *(Paul Delafield)*, Howard Marion-Crawford *(chef de Scotland Yard)*, Laurence Naismith *(Arthur Sayer)*, Derek Bond *(sergent Eric Kirby)*, Griselda Harvey *(Mrs. Kirby)*, Frank Lawton *(sergent Liggott)*, John Loder *(Ponsford)*, Doreen Madden *(Miss Courtney)*, Miles Malleson *(juge à Old Bailey)*, Marjorie Rhodes *(Mrs. Rosie Saparelli)*, Michael Shepley *(sir Rupert Bellamy)*, Michael Trubshawe *(sergent Golightly)*, Jack Watling *(Rév. Julian Small)*, Maureen Potter *(Ethel Sparrow)*, John Le Mesurier *(avocat)*.

La Dernière Fanfare (1958)
The Last Hurrah

Prod. : Ford
Scén. : Frank Nugent, d'ap. le roman d'Edwin O'Connor
Images : Charles Lawton, Jr.
Déc. : Robert Peterson
Mont. : Jack Murray
Dist. : Columbia
Durée : 121 mn.

Int. : Spencer Tracy *(Frank Skeffington)*, Jeffrey Hunter *(Adam Caulfield)*, Dianne Foster *(Maeve Caulfield)*, Pat O'Brien *(John Gorman)*, Basil Rathbone *(Norman Cass, Sr.)*, Donald Crisp *(le cardinal)*, James Gleason *(Cuke Gillen)*, Edward Brophy *(Ditto Boland)*, John Carradine *(Amos Force)*, Willis Bouchey *(Roger Sugrue)*, Basil Ruysdael *(l'évêque Gardner)*, Ricardo Cortez *(Sam Weinberg)*, Wallace Force *(Charles J. Hennessey)*, Frank McHugh *(Festus Garvey)*, Anna Lee *(Gert Minihan)*, Jane Darwell *(Delia Boylan)*, Frank Albertson *(Jack Mangan)*, Charles FitzSimmons *(Kevin McCluskey)*, Carleton Young *(Mr. Winslow)*, O.Z. Whitehead *(Norman Cass, Jr.)*, Jack Pennick *(agent de police)*.

Korea : Battleground for Liberty (1959)

Prod. : Ford et George O'Brien pour l'U.S. Department of Defense
Eastmancolor. Tournage à Séoul et environs
Durée : 40 mn.

Int. : O'Brien, Kim-Chi Mi, Choy My Ryonk.

Produit par le Pentagone, ce documentaire de propagande, destiné aux soldats américains en Corée, exalte leur fraternisation avec les civils coréens.

Les Cavaliers (1959)
The Horse Soldiers

Prod. : John Lee Mahin et Martin Rackin pour la Mirisch Company
Scén. : Mahin et Rackin, d'ap. le roman de Harold Sinclair
Images : William H. Clothier (DeLuxe Color)
Déc. : Frank Hotaling
Mus. : David Buttolph
Mont. : Jack Murray
Dist. : United Artists
Durée : 119 mn.

Int. : John Wayne *(colonel John Marlowe)*, William Holden *(commandant Hank Kendall)*, Constance Towers *(Hannah Hunter)*, Althea Gibson *(Lukey)*, Hoot Gibson *(Brown)*, Anna Lee *(Mrs. Buford)*, Russell Simpson *(shérif Henry Goodboy)*, Stan Jones *(général U.S. Grant)*, Carleton Young *(colonel Jonathan Miles)*, Basil Ruysdael *(commandant de l'école militaire)*, Willis Bouchey *(colonel Phil Secord)*, Ken Curtis *(Wilkie)*, O.Z. Whitehead *(Hoppy Hopkins)*, Judson Pratt *(adjudant Kirby)*, Denver Pyle *(Jagger Jo)*, Strother Martin *(Virgil)*, Hank Worden *(Deacon)*, Walter Reed *(officier nordiste)*, Jack Pennick *(adjudant Mitchell)*, Fred Graham *(soldat nordiste)*.

Le Sergent noir (1960)
Sergeant Rutledge

Prod. : Patrick Ford et Willis Goldbeck pour Ford Productions
Scén. : Goldbeck, James Warner Bellah
Images : Bert Glennon (Technicolor). Extérieurs tournés à Monument Valley
Déc. : Eddie Imazu

Mus. : Howard Jackson
Mont. : Jack Murray
Dist. : Warner Brothers
Durée : 111 mn.

Int. : Jeffrey Hunter *(lieutenant Tom Cantrell),* Constance Towers *(Mary Beecher),* Woody Strode *(sergent Braxton Rutledge),* Billie Burke *(Mrs. Cordelia Fosgate),* Juano Hernandez *(sergent Matthew Luke Skidmore),* Willis Bouchey *(colonel Otis Fosgate),* Carleton Young *(capitaine Shattuck),* Judson Pratt *(lieutenant Mulqueen),* Bill Henry *(capitaine Dwyer),* Walter Reed *(capitaine MacAfee),* Chuck Hayward *(capitaine Dickinson),* Mae Marsh *(Nellie),* Fred Libby *(Chandler Hubble),* Toby Richards *(Lucy Dabney),* Jan Styne *(Chris Hubble),* Cliff Lyons *(Sam Beecher),* Charles Seel *(Dr. Eckner),* Jack Pennick *(sergent),* Hank Worden *(Laredo),* Chuck Roberson *(juré).*

The Colter Craven Story (1960)

Prod. : Howard Christie pour Revue Productions-MCA (série télévisée *Wagon Train)*
Scén. : Tony Paulson
Images : Benjamin N. Kline
Déc. : Martin Obzina
Mus. : Stanley Wilson
Mont. : Marston Fay, David O'Connell
Durée : 53 mn.

Int. : Ward Bond *(commandant Seth Adams),* Carleton Young *(Colter Craven),* Frank McGrath *(Chuck Wooster),* Terry Wilson *(Bill Hawks),* John Carradine *(Park),* Chuck Hayward *(Quentin),* Ken Curtis *(Kyle),* Anna Lee *(Alarice Craven),* Cliff Lyons *(Weatherby),* Paul Birch *(Sam Grant),* Annelle Hayes *(Mrs. Grant),* Willis Bouchey *(Jesse Grant),* Mae Marsh *(Mrs. Grant),* Jack Pennick *(sergent instructeur),* Hank Worden *(Shelley),* Charles Seel *(Mort),* Bill Henry *(Krindle),* Chuck Roberson *(Junior),* Dennis Rush *(Jamie),* Harry Tenbrook *(ami de Shelley),* John Wayne *(général Sherman).*

Les Deux Cavaliers (1961)
Two Rode Together

Prod. : Stan Shpetner pour Ford - Shpetner Productions
Scén. : Frank Nugent, d'ap. le roman de Will Cook *Comanche*

Captives
Images : Charles Lawton, Jr. (Eastman Color)
Déc. : Robert Peterson
Mus. : George Duning
Mont. : Jack Murray
Dist. : Columbia
Durée : 109 mn.

Int. : James Stewart *(Guthrie McCabe),* Richard Widmark *(lieutenant Jim Gary),* Shirley Jones *(Marty Purcell),* Linda Cristal *(Elena de la Madriaga),* Andy Devine *(sergent Darius P. Posey),* John McIntire *(commandant Frazer),* Paul Birch *(Edward Purcell),* Willis Bouchey *(Harry J. Wringle),* Henry Brandon *(Quanah Parker),* Harry Carey, Jr. *(Ortho Clegg),* Ken Curtis *(Greely Clegg),* Olive Carey *(Abby Frazer),* Chet Douglas *(Ward Corbey),* Annelle Hayes *(Belle Aragon),* David Kent *(Running Wolf),* Anna Lee *(Mrs. Malaprop),* Jeanette Nolan *(Mrs. McCandless),* John Qualen *(Ole Knudsen),* Ford Rainey *(Henry Clegg),* Woody Strode *(Stone Calf),* O.Z. Whitehead *(lieutenant Chase),* Mae Marsh *(Hannah Clegg),* Jack Pennick *(sergent).*

Le personnage de Quanah Parker, métis comanche qui combattit les Blancs, est historique (v. *Comanche* de George Sherman, 1956).

L'Homme qui tua Liberty Valance (1962)
The Man Who Shot Liberty Valance

Prod. : Willis Goldbeck pour Ford Productions
Scén. : Goldbeck et James Warner Bellah, d'ap. le sujet de Dorothy M. Johnson
Images : William H. Clothier
Déc. : Hal Pereira, Eddie Imazu
Mus. : Cyril J. Mockridge
Mont. : Otho Lovering
Dist. : Paramount
Durée : 122 mn.

Int. : James Stewart *(Ransom Stoddard),* John Wayne *(Tom Doniphon),* Vera Miles *(Hallie Stoddard),* Lee Marvin *(Liberty Valance),* Edmond O'Brien *(Dutton Peabody),* Andy Devine *(Link Appleyard),* Ken Murray *(Doc Willoughby),* John Carradine *(Starbuckle),* Jeanette Nolan *(Nora Ericson),* John Qualen

(Peter Ericson), Willis Bouchey *(Jason Tully),* Carleton Young *(Maxwell Scott),* Woody Strode *(Pompey),* Denver Pyle *(Amos Carruthers),* Strother Martin *(Floyd),* Lee Van Cleef *(Reese),* Robert F. Simon *(Handy Strong),* O.Z. Whitehead *(Ben Carruthers),* Paul Birch *(le maire Winder),* Joseph Hoover *(Hasbrouck),* Jack Pennick *(barman),* Anna Lee *(passagère).*

Flashing Spikes (1962)

Prod. : Frank Baur pour Avista Productions - Revue - MCA (série télévisée *Alcoa Premiere)*
Scén. : Jameson Brewer, d'ap. le roman de Frank O'Rourke
Images : William H. Clothier
Déc. : Martin Obzina
Mus. : Johnny Williams
Mont. : Richard Belding, Tony Martinelli
Durée : 53 mn.

Int. : James Stewart *(Slim Conway),* Jack Warden *(commissaire),* Pat Wayne *(Bill Riley),* Edgar Buchanan *(Crab Holcomb),* Tige Andrews *(Gaby Lasalle),* Carleton Young *(Rex Short),* Willis Bouchey *(le maire),* Don Drysdale *(Gomer),* Stephanie Hill *(Mary Riley),* Charles Seel *(juge),* Bing Russell *(Hogan),* Harry Carey, Jr. *(homme dans la tranchée),* Vin Scully *(speaker),* Walter Reed *(2e reporter),* Sally Hughes *(infirmière),* Larry Blake *(1er reporter),* Charles Morton *(arbitre),* Cy Malis *(bit man),* Bill Henry *(assistant du commissaire),* John Wayne *(arbitre).*

La Conquête de l'Ouest (1962)
How the West Was Won

Réal. : Ford (« The Civil War »), George Marshall (« The Railroad »), Henry Hathaway (« The Rivers », « The Plains », « The Outlaws »)
Prod. : Bernard Smith pour Cinerama
Technicolor/Cinerama/Ultra Panavision
Déc. : George W. Davis, William Ferrari, Addison Hehr
Mus. : Alfred Newman, Ken Darby
Mont. : Harold F. Kress
Dist. : MGM
Durée : 162 mn.

« The Civil War » - Images : Joseph LaShelle. Durée : 25 mn.

Int. : George Peppard *(Zeb Rawlings)*, Carroll Baker *(Eve Prescott Rawlings)*, Russ Tamblyn *(déserteur sudiste)*, Claude Johnson *(Jeremiah Rawlings)*, Andy Devine *(caporal Peterson)*, Willy Bouchey *(chirurgien)*, Henry Morgan *(général U.S. Grant)*, Raymond Massey *(Abraham Lincoln)*.

La Taverne de l'Irlandais (1963)
Donovan's Reef

Prod. : Ford pour Ford Productions
Scén. : Frank Nugent et James Edward Grant, d'ap. l'adaptation par James Michener du sujet d'Edmund Beloin
Images : William Clothier (Technicolor)
Déc. : Hal Pereira, Eddie Imazu
Mus. : Cyril J. Mockridge
Mont. : Otho Lovering
Dist. : Paramount
Durée : 109 mn.

Int. : John Wayne *(« Guns » Donovan)*, Lee Marvin

John Wayne, Elizabeth Allen et Cesar Romero dans *La Taverne de l'Irlandais*

(« Boats » Gilhooley), Elizabeth Allen *(Amelia Dedham)*, Jack Warden *(Dr. William Dedham)*, Cesar Romero *(marquis André de Lage)*, Dorothy Lamour *(Miss Lafleur)*, Jacqueline Malouf *(Lelani Dedham)*, Mike Mazurki *(sergent Menkowicz)*, Marcel Dalio *(père Cluzeot)*, Jon Fong *(Mister Eu)*, Cheryline Lee *(Sally Dedham)*, Tim Stafford *(Luki Dedham)*, Carmen Estrabeau *(sœur Gabrielle)*, Yvonne Peattie *(sœur Matthew)*, Frank Baker *(capitaine Martin)*, Edgar Buchanan *(notaire)*, Pat Wayne *(lieutenant de marine)*, Dan Ford, John Stafford *(enfants)*, Charles Seel *(Grand-Oncle Sedley Atterbury)*, Mae Marsh *(membre du conseil de famille)*.

Les Cheyennes (1964)
Cheyenne Autumn

Prod. : Bernard Smith pour Ford - Smith Productions
Scén. : James R. Webb et Patrick Ford, d'ap. le livre de Mari Sandoz
Images : William Clothier (Technicolor/Panavision 70). Extérieurs tournés à Monument Valley, dans l'Utah et dans le Colorado
Déc. : Richard Day
Mus. : Alex North
Mont. : Otho Lovering
Dist. : Warner Brothers
Durée : 159 mn.

Int. : Richard Widmark *(capitaine Thomas Archer)*, Carroll Baker *(Deborah Wright)*, James Stewart *(Wyatt Earp)*, Edward G. Robinson *(Carl Schurz)*, Karl Malden *(capitaine Wessels)*, Sal Mineo *(Red Shirt)*, Dolores Del Rio *(Spanish Woman)*, Ricardo Montalban *(Little Wolf)*, Gilbert Roland *(Dull Knife)*, Arthur Kennedy *(Doc Holliday)*, Patrick Wayne *(sous-lieutenant Scott)*, Elizabeth Allen *(Guinevere Plantagenet)*, John Carradine *(commandant Jeff Blair)*, Victor Jory *(Tall Tree)*, Mike Mazurki *(sergent-major Stanislaw Wichowsky)*, George O'Brien *(commandant Braden)*, Sean McClory *(Dr. O'Carberry)*, Judson Pratt *(commandant « Dog » Kelly)*, Carmen D'Antonio *(femme pawnee)*, Ken Curtis *(Joe)*, Harry Carey, Jr. *(soldat Smith)*, Ben Johnson *(soldat Plumtree)*, Willis Bouchey *(colonel)*, Carleton Young *(assistant de Carl Schurz)*, John Qualen *(Svenson)*.

Le Jeune Cassidy (1965)
Young Cassidy

Réal. : Jack Cardiff, Ford
Prod. : Robert D. Graff et Robert Emmett Ginna pour Sextant Films
Scén. : John Whiting, d'ap. l'autobiographie de Sean O'Casey *Mirror in My House*
Images : Ted Scaife (Technicolor). Tournage en Irlande
Déc. : Michael Stringer
Mus. : Sean O'Riada
Mont. : Anne V. Coates
Dist. : MGM
Durée : 110 mn.

Int. : Rod Taylor *(Sean Cassidy),* Maggie Smith *(Nora),* Julie Christie *(Daisy Battles),* Flora Robson *(Mrs. Cassidy),* Sian Phillips *(Ella),* Michael Redgrave *(W.B. Yeats),* Dame Edith Evans *(Lady Gregory),* Jack McGowran *(Archie),* T.P. McKenna *(Tom),* Julie Ross *(Sara).*

Tombé malade après deux semaines de tournage, Ford est remplacé par Jack Cardiff.

Frontière chinoise (1965)
7 Women

Prod. : Bernard Smith pour Ford - Smith Productions
Scén. : Janet Green et John McCormick, d'ap. la nouvelle de Norah Lofts « Chinese Finale »
Images : Joseph LaShelle (Metrocolor/Panavision)
Déc. : George W. Davis, Eddie Imazu
Mus. : Elmer Bernstein
Mont. : Otho S. Lovering
Dist. : MGM
Durée : 86 mn.

Int. : Anne Bancroft *(Dr. D.R. Cartwright),* Margaret Leighton *(Agatha Andrews),* Flora Robson *(Miss Binns),* Sue Lyon *(Emma Clark),* Mildred Dunnock *(Jane Argent),* Betty Field *(Florrie Pether),* Anna Lee *(Mrs. Russell),* Eddie Albert *(Charles Pether),* Mike Mazurki *(Tunga Khan),* Woody Strode *(son rival),* Jane Chang *(Miss Ling),* Hans William Lee *(Kim),* H.H. Gim *(coolie),* Irene Tsu *(Chinoise).*

Tournage de *Permission jusqu'à l'aube* : Cagney, Fonda, Ford.

BIBLIOGRAPHIE

L'abondance de la bibliographie fordienne, surtout en anglais, a contraint à une sélection extrêmement rigoureuse.

1. Livres

Jean Mitry, *John Ford,* Editions Universitaires, Paris, 1954, 1965.

Philippe Haudiquet, *John Ford,* Seghers, Paris, 1966, 1974.

Peter Bogdanovich, *John Ford,* Movie Magazine, Londres, 1967 ; Univ. of California Press, Berkeley, 1968, 1978. Trad. française, Edilig, Paris, 1988.

Joseph McBride et Michael Wilmington, *John Ford,* Secker & Warburg, Londres, 1974.

Jean Roy, *Pour John Ford,* Cerf, Paris, 1976.

Andrew Sarris, *The John Ford Movie Mystery,* Indiana Univ. Press, Bloomington, et Secker & Warburg, Londres, 1976.

Lindsay Anderson, *About John Ford,* Plexus, Londres, 1981. Trad. française *John Ford,* 5 Continents, Renens, 1985.

Tag Gallagher, *John Ford : The Man and His Films*, Univ. of California Press, Berkeley, 1986.

2. Dossiers

Positif, n° 64-65 (1964).

Présence du cinéma, n° 21 (mars 1965).

Cahiers du cinéma, n° 183 (oct. 1966).

Positif, n° 82 (mars 1967).

Film Comment, vol. 7, n° 3 (automne 1971).

3. Entretiens

Voir dans la rubrique Livres : Haudiquet, Bogdanovich, McBride et Wilmington, Anderson ; dans la rubrique Dossiers : *Positif,* n° 82. On ajoutera :

Jean Mitry, « Rencontre avec John Ford », *Cahiers du cinéma,* n° 45 (mars 1955), pp. 3-9.

Axel Madsen, « Rencontre avec John Ford », *Cahiers du cinéma,* n° 168 (juillet 1965), pp. 79-80.

4. Articles

John Ford, « Veteran Producer Muses », *The New York Times,* 10 juin 1928, repris dans Richard Koszarski, *Hollywood Directors 1914-1940,* Oxford Univ. Press, Londres, 1976, pp. 199-204.

Jorge Luis Borges, « Sur *Le Mouchard* », *Sur*, n° 11, août 1935 ; trad. française dans *Positif,* n° 180 (avril 1976), p. 32.

S.M. Eisenstein, « Mister Lincoln par Mister Ford », texte de 1945, publié dans *Iskusstvo Kino,* n° 4, 1960 ; trad. française dans *Positif,* n° 74 (mars 1966), pp. 74-83.

Jean George Auriol, « Lettre à John Ford sur *La Poursuite infernale* », *La Revue du cinéma*, n° 6 (printemps 1947), pp. 67-69.

Peter Ericsson, « John Ford », *Sequence,* n° 2 (hiver 1947), pp. 18-25 ; trad. française « Les œuvres récentes de John Ford », *La Revue du cinéma,* n° 10 (fév. 1948), pp. 3-13.

Jean-Louis Rieupeyrout, « Un genre historique ; le western », *Cahiers du cinéma,* n° 9 (fév. 1952), pp. 4-18.

Wim Wenders, « Ecrits », *Twen,* n° 10 (oct. 1970) et n° 1/2 (fév. 1971) ; trad. française dans *Positif,* n° 217 (avril 1979), pp. 38-49.

Jean Douchet, « Le retour de John Ford », *Cahiers du cinéma,* n° 424 (oct. 1989), pp. 33-35.

5. Films publiés

Le Mouchard (1935)
The Informer, dans Harlan Hatcher, ed., *Modern British Dramas,* Harcourt, Brace, New York, 1941 ; Harlan Hatcher, ed., *Modern Dramas,* Harcourt, Brace, New York, 1944 ; *Theatre Arts,* août 1951.
En français : *L'Avant-Scène cinéma* n° 45 (1er février 1965).

La Chevauchée fantastique (1939)
Stagecoach, dans John Gassner et Dudley Nichols, eds.,

Twenty Best Film Plays, Crown, New York, 1943, vol. 2, rpt. Garland, New York et Londres, 1977 ; John Gassner et Dudley Nichols, eds., *Great Film Plays,* Crown, New York, 1959.
Stagecoach : a film by John Ford and Dudley Nichols, Classic Film Scripts, Lorrimer, Londres, 1971.
Stagecoach, ed. Richard Anobile, Darien House, New York, 1975.
En français : *L'Avant-Scène cinéma,* n° 22 (15 janvier 1963).

Les Raisins de la colère (1940)
The Grapes of Wrath, dans Gassner et Nichols, *Twenty Best Film Plays,* vol. 1.

Qu'elle était verte ma vallée (1941)
How Green Was My Valley, dans Gassner et Nichols, *Twenty Best Film Plays,* vol. 1.

La Poursuite infernale (1946)
My Darling Clementine, ed. Robert Lyons, Rutgers Univ. Press, New Brunswick (NJ), 1984.
En français : *L'Avant-Scène cinéma,* n° 337 (fév. 1985).

Le Convoi des braves (1950)
Wagonmaster [sic], RKO Classic Screenplays, Ungar, New York, 1978.

Collection Rivages/Cinéma

1. *Fritz Lang* par Frieda Grafe, Enno Patalas, Hans Helmut Prinzler.
2. *Alfred Hitchcock* par Bruno Villien.
3. *Orson Welles* par Joseph Mc Bride.
4. *Fassbinder* par Yaak Karsunke, Peter Iden, Wilfried Wiegand, Wolfram Schütte, Peter W. Jansen, Wilhelm Roth, Hans Helmut Prinzler.
5. *Wim Wenders* par Peter Buchka.
6. *Eric Rohmer* par Joël Magny.
7. *Joseph Mankiewicz* par N.T. Binh.
8. *Martin Scorsese* par Michel Cieutat.
9. *John Cassavetes* par Laurence Gavron et Denis Lenoir.
10. *François Truffaut* par Hervé Dalmais.
11. *Roman Polanski* par Dominique Avron.
12. *Steven Spielberg* par Jean-Pierre Godard.
13. *Robert Aldrich* par Michel Mahéo.
14. *Francis Ford Coppola* par J.P. Chaillet et C. Viviani.
15. *Nicholas Ray* par Jean Wagner.
16. *Jean Renoir* par Pierre Haffner.
17. *Billy Wilder* par Jérôme Jacobs.
18. *Alain Resnais* par Marcel Oms.
19. *Frank Capra* par Michel Cieutat.
20. *Woody Allen* par Jean-Philippe Guerand.
21. *Claude Chabrol* par Claude Blanchet.
22. *Clint Eastwood* par Michèle Weinberger.
23. *Jean-Luc Godard* par Jean-Luc Douin.
24. *Stanley Kubrick* par Pierre Giuliani.

Achevé d'imprimer
le 5 février 1990
sur les presses
de l'Imprimerie A. Robert
116, boulevard de la Pomme
13011 Marseille
pour le compte des
Editions Rivages
5-7, rue Paul-Louis Courier
75007 Paris
10, rue Fortia
13001 Marseille

Dépôt légal : Février 1990